中公新書 2402

宮城大蔵著

現代日本外交史

冷戦後の模索、首相たちの決断

中央公論新社刊

はじめに

もともとパソコン用語だった「上書き保存」という言葉だが、すでに一般にも定着したといってよかろう。そして歴史にも「上書き保存」があるように思える。ある出来事をきっかけに世の光景が塗り替えられると、それ以前に見えていた景色を思い起こすことが難しくなるのである。

米ソ冷戦終結から近年に至る日本外交の四半世紀は、「上書き保存」の連続であった。「日本の世紀」が喧伝《けんでん》された冷戦終結直後から、「普通の国」をめぐる議論や民主党政権の登場を経て、「戦後レジームからの脱却」を掲げた安倍晋三首相の再登板へと至る。この目まぐるしい変化はその都度、それ以前の光景を世の記憶から薄らいだものとした。そのような「上書き」効果を解除し、冷戦後の軌跡を歴史として再構築してみれば、この間の日本外交に、近年の焦点である領土や歴史問題、抑止力などにとどまらない豊かな水脈があったことに気づかされる。

本書を貫くモチーフの一つは、外交と内政の連関、あるいは両者の相互作用である。米ソ二極構造の下、日本に選択肢がさほどなかった冷戦下から一転して、日本にとって冷戦後とは、自立的判断を求められる危機の連続であった。いかなる形で危機に対応するのか。その課題が連立政権の組み替えをはじめ、日本の国内政治に大きな変化を引き起こした。

筆者は日本の「戦後外交」と「冷戦後外交」の境目は湾岸戦争であったと考えるが、湾岸以前の「戦後外交」においては、安全保障政策とはしばしば、国会における自衛隊の違憲合憲論争や日米安保条約における「極東の範囲」といった法律論争であった。「戦後外交」のもう一つの柱は、戦争で断絶した各国との国交回復や沖縄返還といった広い意味での戦後処理であった。問題の所在が定まっているという意味でいずれも静的であり、基本的に受け身の課題であったといえよう。戦後の外務省において条約局が筆頭とされたのは、このような戦後外交の性質を反映したものであった。

しかし法的、静的、受動的を特徴とした戦後外交は、湾岸戦争という突発的、かつ困難な政治判断を必要とする事態を前に、無力さを露呈する。そこから冷戦後日本外交の模索が始まった。朝鮮半島核危機や台湾海峡危機、そして沖縄の基地問題など、その後も切れ目なく押し寄せる問題はいずれも、能動的かつ高度な政治判断を要する課題であり、それが連立組み替えや政界再編の通奏低音ともなった。外交課題への対応と、それを可能にする国内基盤の再編という「二正面作戦」は、最高指導者である首相の下に集約される。本書の副題を冷戦後における「首相たちの決断」とした所以《ゆえん》である。

以下では、①湾岸危機に始まる激動に直面した海部、宮沢政権、②「平和の配当」など冷戦後の息吹に呼応するも、北朝鮮核危機で不安定さを露呈した細川、羽田の非自民連立政権、③日米安保再定義や沖縄基地問題で進展を模索し、「村山談話」など歴史問題でも足跡を残した自社さ連立の村山、橋本政権、④自自から自自公連立へと政権基盤を安定させてガイドライン関連法案を成立させる一方、アジア地域主義にも注力した小渕政権と森政権、⑤外交を「小泉劇場」の舞台とした小泉政権、⑥中国台頭と民主党の攻勢に揺れた安倍（第一次）、福田、麻生政権、⑦夢想的な鳩山首相から実利主義の菅《かん》首相を経て、「保守」を自認する野田首相へと変化しつつ内紛で自壊した民主党政権、⑧第二次安倍政権から今後の日本外交の課題を模索する終章へと、冷戦後の時期区分とそれに見合った性格づけを提示する。

今日という時代の性格は、今という時点だけを見ていては分からないものである。冷戦後の四半世紀を歴史として捉える本書の試みが、「歴史の中の現在」という視座を思い起こす手がかりになるのであれば、筆者として望外の喜びである。

目次

第5章　「風雲児」の外交――小泉純一郎政権……123

第6章　迷走する自公政権――安倍・福田・麻生政権……159

現代日本外交史

冷戦後の模索、首相たちの決断

第1章　湾岸戦争からカンボジアPKOへ――海部・宮沢政権

「日本の時代」の到来

過去を記述する歴史書が、広く世の関心を集めることがある。それは人々がそこに、その時々の「今」を読み解く手がかりを見出したときなのであろう。

日本経済が並ぶもののない強さを誇り、自信に満ち溢れていた一九八〇年代末、日本で広く関心を引いた本が『大国の興亡』である。米イェール大学教授の歴史家、ポール・ケネディの手になるこの著作は、一六世紀のスペイン、一七世紀のオランダ、そしてイギリス、アメリカと、世界史上で覇権を握った大国はなぜ必ず没落し、次の大国にとって代わられるのかを考察する。一九八〇年代末の日本において、人々が『大国の興亡』に見出したメッセージは、おそらく次の二つであった。一つはアメリカの衰退であり、もう一つはそれに代わる日本の勃興である。

アメリカは当時、米ソ冷戦に「勝利した」とはいえ経済的苦境にあえいでいた。冷戦が終わってみると、米ソが冷戦で力を使い果たした傍らで、経済成長に注力した日本が繁栄をほしいままにしていた。「日本こそは冷戦の真の勝者だ」と言われ、アメリカの象徴だと見なされていた大手映画会社やニューヨーク中心部のロックフェラー・センターなどを日本企業が次々と買収したことに米世論は違和感を隠さなかった。

冷戦が終わり、軍事力はもはや決定的な意味を持たなくなった。これからは経済の時代である。そうであるならば、それは日本の時代である。「パックス・アメリカーナ（アメリカによる平和）」に代わる「パックス・ジャポニカ（日本による平和）」という言葉すらささやかれた。この状況は軍事力を背景にしたパワー・ポリティクスに距離をおき、経済に専念した戦後日本の「生き方」が正しかったことを証明するものであるように見えたのである。

一九八〇年代末のこのとき、来る新世紀に向けて歴史はますます歩みを速めているかのようであった。颯爽《さっそう》と登場したソ連のゴルバチョフ書記長は、それまでの頑ななソ連指導部の印象を一新し、「新思考外交」の下、「人類は運命共同体である」といった大胆な言動で世界を魅了しながら一方的な軍縮など矢継ぎ早の改革に乗り出していた。

ゴルバチョフが従来のような東欧に対する強権的な干渉を控える姿勢を示すと、東西ヨーロッパの分断線は緩んで東独から大勢の人々が流出し始め、東独政府はベルリンの壁の開放に追い込まれた。東欧各国では正統性を失った共産主義政権が次々と崩壊し、テレビ中継を通して世界がそれを目撃することになった。その傍らで一九八九年一二月、ゴルバチョフはブッシュ米大統領と地中海のマルタ島で会談し、「冷戦終結宣言」を行うに至った。

アジアでは、一九八八年にソウル・オリンピックを成功裏に終わらせた韓国が、不安定な分断国家という面目を一新して世界の檜《ひのき》舞台に登場していた。これに先立つ一九八六年には、フィリピンで「ピープルズ・パワー」と呼ばれた市民の蜂起によってマルコス政権が崩壊し、台湾でも蔣経国《しょうけいこく》総統が、一九八六年から翌年にかけて野党結成の容認や戒厳令の解除を決断し、本格的民主化への道を開いていた。

中国では天安門事件（一九八九年六月）で民主化運動に対する大規模な弾圧が行われ、ビルマではアウン・サン・スーチーを中心とした反体制勢力が総選挙で圧勝したものの（一九九〇年五月）、軍事政権はこの結果を凍結して国名もミャンマーと改称し、強権体制を敷いた。

ヨーロッパでは冷戦が明確に終わりを告げた一方で、アジアの行く末は見定めがたいものであった。これらの変動がリアルタイムでテレビ放映され、民主化のうねりが次々と連鎖する大きな要因となったことも、かつてない現象であった。来る新世紀の姿は定まらないにしても、二度の世界戦争と東西冷戦で彩られた時代、二〇世紀が終わりつつあることは確かであった。

「平成」の日本外交

世界が大きく動く中、日本では一九八九年一月七日、昭和天皇が八七年の生涯を閉じ、昭和が終わった。昭和天皇の「大喪《たいそう》の礼」は、元首級五五人をはじめ一六四ヵ国の代表など九八〇〇人が参列する史上最大級の葬儀となった。ブッシュ米大統領をはじめ、世界中の指導者が一堂に会する光景は、「昭和」の日本が戦争という挫折を間に挟みながらも営々と築き上げた国際社会における存在感の大きさを示すかのようであった。

新天皇が即位し、「平成」と元号を改めた日本の外交を担うことになったのは、海部俊樹《かいふとしき》首相であった。前々任者の竹下登《たけしたのぼる》は、リクルート事件など金権政治批判によって退陣を余儀なくされ、後を継いだ宇野宗佑《うのそうすけ》も女性スキャンダルをきっかけに二ヵ月あまりの超短命に終わった。自民党最大派閥・竹下派の主導によって清新なイメージを期待されて首相に担ぎ上げられた海部は、突然の首相就任に「『ただただ驚き』としか言いようがなかった」と振り返る(1)。

一九八九年八月に海部が首相に就任したとき、天安門事件をめぐる対中関係、東欧革命といった変動への対応が喫緊《きっきん》のものであった。その一方で、一一月には第一回のAPEC（アジア太平洋経済協力会議）開催が控えるなど、新たな時代の萌芽も見られた。そのような中、外務省は日本のODA（政府開発援助）供与額が世界一になったと発表した。また外務省では一九八九年末に冷戦終結を見越した日本外交の基本方針を策定し、経済力、技術力に裏打ちされた日本が、主要な担い手として新たな国際秩序の構築に取り組むことを掲げた。策定の中心となった栗山尚一《くりやまたかかず》事務次官によれば、それは日本が国際秩序の形成に能動的に加わる

「大国外交」に踏み出すことを宣言するものであった[2]。

この時期の日本外交を概観すれば、まず対中関係では西側各国が天安門事件をめぐって中国政府を厳しく非難する傍らで、日本政府は憂慮の表明にとどめるなど控えめで、民主化運動に対しても、「中国内政への軽はずみなコメントは反日感情を刺激しかねない」として評価を避けた。その後、西側諸国による制裁に歩調を合わせる形をとったものの、この年七月のアルシュ・サミットでも日本は中国を孤立させるのは逆効果だとして、中国と西側諸国との橋渡しを演じようとした。

一九七二年の国交樹立以降、日本の対中政策は、一貫して関与政策というべきものであった。中国が改革開放に踏み出したことを歓迎し、これを後押しする政策である。天安門事件後の日本の対応は、それまでの関与政策を維持するものであった。

アメリカで講演する海部首相
（1989年９月）

一方、この年一一月に初会合が開催されたＡＰＥＣは、アジア太平洋が巨大経済圏として勃興しつつあることを示すものであった。日本は豪州と並んでＡＰＥＣ実現の立役者であったが、その中心となった通産省と、これを快く思わない外務省とのせめぎ合いは、他国から「ふたつの日本（ツー・ジャパン）」と揶揄《やゆ》されるほどあからさまであった。しかし「省益あって国益なし」という霞が関内の陣取り合戦を許容するだけの余裕が、強力な経済力を誇ったこの時点の日本にはまだあったとも言えよう。

年を越して一九九〇年一月に欧州を歴訪した海部首相は、ポーランドとハンガリーに対して、体制転換を円滑に進めるための資金援助や日本企業の進出についても支援を約束した。

天安門事件、東欧革命、APECと現れ方は異なっても、いずれもイデオロギーと軍事力によってがんじがらめであった従来の国際秩序に別れを告げる出来事であった。日本が圧倒的な経済力によってこれらの胎動をつなぎ、新たな国際秩序の創出に向けた一翼を担うという「大国外交」は、あながち夢物語でもないように見えたのである。

湾岸危機の始まり

「イラク軍、クウェート国境を侵犯」。一九九〇年八月二日にニュースの一報が伝えられたとき、これがやがて日本外交を根本から左右する一大事に発展することを予想した者は、ほとんどなかったであろう。かねてからクウェートと摩擦を抱えていたサダム・フセイン大統領率いるイラクは、瞬く間にクウェートを軍事占領し、併合を宣言した。

日本政府は湾岸危機の発生後、翌日にはいち早くイラクによる流用を防ぐためにクウェート関連の資産売却を凍結する措置をとった。一方で、かねてから計画されていた海部首相の中東歴訪が問題となった。サウジアラビア、エジプト、ヨルダンなど、紛争の行方に大きな影響を持つ周辺国が訪問先として予定されており、危機勃発後、西側主要国の首脳として初の現地入りとなることから各国の関心は高く、日本のイニシアチブを期待する声もあった。

しかし事態は迷走する。海部首相はこう振り返る。「外務省としては、とにかく今回は官邸に座っておって、いろいろな連絡・情報等もきますから〔と中止を主張した〕。いろいろ議論した結果、中山〔太郎・外相〕さんを代理に出そうということになって」[3]（以下、〔　〕は筆者による補足）。中止を具申した外務省は、クウェートで人質となった在留邦人に危害が及ぶことや、首相が訪問先で打ち出す貢献策の用意がないことを懸念していた。結局、海部首相の中東歴訪は、出発直前の八月一三日になって延期が発表された。日本は「大国外交」の役割を果たす場から、自ら退いた形となった。

自衛隊の派遣をめぐって

湾岸危機において日本が直面した問題は大きく分けて、イラクで人質となった在留邦人の保護・救出、次に自衛隊の派遣を目指す取り組み、そしてアメリカをはじめとする多国籍軍への協力という三つであった。

第一の人質は、イラク侵攻時にクウェートに在住していた日本人が移送先のバグダッドでイラク政府に拘束されたものであった。他国の人質とともに戦略上重要な拠点に分散して収容され、事実上「人間の盾」にされたもので、その数は二〇〇人以上にのぼった。結局人質となった日本人は、イラクに乗り込んだ中曽根康弘《なかそねやすひろ》元首相らによる折衝などを経て、この年の年末までに段階的に全員が解放された。

第二の自衛隊派遣問題は、財政危機に苦しむアメリカが、ベトナム戦争以来となる大規模な戦力を湾岸に展開する中で浮上した。米政府や議会からは折からの日米貿易摩擦も絡んで、日本は中東の石油に依存していながら、経済制裁以上の行動をとろうとしないという批判が出るようになっていた。

日本でも、人的貢献が必要だとして海上自衛隊の掃海艇派遣案などが浮上する。しかし当の海部首相は自衛隊の派遣に消極的であった。海部は人的支援をめぐる議論について、「自民党主流派は、自衛隊派遣、煎じ詰めれば武力行使派で、声なき声はこちらが大多数だった」「今日まで我慢してきたのだから、ここが千載一遇のチャンス、この際「やれ」ということだ」「「千載一遇」の言葉を聞いた時、私は、瞬時に満州事変を想像し不吉を感じた」と振り返る(4)。

これに対して自民党幹事長の小沢一郎は、湾岸危機を幕末の黒船来港に匹敵するものと見た。「冷戦が終わり、国際秩序が世界史的な規模で変わってきたときだから、甘ったれている場合じゃあない」という小沢は、今回は国連の安保理決議があるのだから現行の憲法のままでも自衛隊を中東に派遣できると主張した(5)。

そして陰の主役はアメリカであった。当初、自衛隊の派遣に消極的だった海部首相は、日米首脳会談（一九九〇年九月）でブッシュ大統領が日本の後方支援に期待する旨、述べたのを受けてあっさりと積極論へと転じ、その一方でアマコスト駐日米大使は、政権のキーパーソンと睨《にら》んだ小沢と緊密に連絡をとっていた。

こうして人的支援を可能にするため、急ごしらえで法案作りが進められることになった。海部は当初、自衛隊は除外して民間人を派遣するとしていた。その念頭にあったのは、青年海外協力隊のイメージであった。しかし現実的ではないとして、「国連平和協力隊」を創設し、そこに自衛隊員を参加させる案へと移行した。すると今度は、「平和協力隊」における自衛隊員の身分や指揮系統はどうなるのかといった点、あるいは憲法九条との関連で「武力行使との一体化」、つまりどこまでの活動範囲であれば、多国籍軍の武力行使と一線を画すると見なせるのかといった議論が、外務省や内閣法制局などで展開されることになった。

「国連平和協力法案」と名づけられた法案は国会に提出されたものの、法案自体の脆《もろ》さに加え、八九年の参院選で土井たか子委員長率いる社会党が躍進したことで、自民党は参議院で過半数を割っていた。結局同法案は、野党の反発や政府答弁の度重なる混乱の末、九〇年一一月に廃案となった。

しかし話はそれでは終わらない。その際、自民党と公明党、民社党は、廃案と引き換えに、国際貢献策として自衛隊とは別個に国連の平和維持活動（ＰＫＯ）に参加する組織を作り、救援活動などに従事させることで合意した。これが後の自衛隊によるＰＫＯ活動へとつながることになる。

結局、人的貢献としては、自衛隊法に定められた「国賓等の輸送」を根拠に特例政令を作り、自衛隊機でイラク周辺での難民輸送にあたることが決まったが、肝心の輸送要請がなく空振りに終わった。そして湾岸戦争が終結すると、海上自衛隊の掃海艇がペルシャ湾に派遣され、イラク軍が敷設した機雷の除去作業にあたったのであった。

貢献策の迷走

人的支援と併行して、物資や資金などでの多国籍軍に対する支援策も模索されたが、ここでも事態は迷走した。検討項目の一つは物資輸送にあたる船舶の派遣であった。しかし国内大手の船舶会社の協力は得られず、太平洋戦争では軍人を上回る割合で犠牲を出した海員組合も強く反対した。しかも運輸省が説得に苦心する最中に、米側が要望しているのはフェリーのようにトラックなどが自走して荷物を積み込める特殊船であることが明らかになる。運輸省は外務省が情報を正確に伝えていないとして、米政府の要望をワシントンからの公電ではっきりと見せてほしいと求めたが、「外交一元化」を重視する外務省は消極的であったという(6)。

貢献策をめぐる省庁間の縄張り争いは、一九九一年一月、九〇億ドルの財政支援をめぐって頂点に達する。アメリカを中心とする多国籍軍がイラク側への攻撃を始め、湾岸戦争が開始された直後の一九九一年一月二〇日、訪米した橋本龍太郎《りゅうたろう》蔵相はブレイディ米財務長官と追加の財政支援について会談を行った。史上初となる日米間での実質的な戦費分担である。

通訳のみを入れた日米蔵相の会談は、一五分あまりの短時間で終わった。橋本はブレイディが提示した九〇億ドルを即座に受け入れた。持参したファイルを開いて詳細を説明しようとするブレイディを制してのことであった。橋本は「アメリカが数字を出してきたら、値切らないぞ。弾が飛んだら〔戦争が始まったら〕、値切らない」との覚悟であったと振り返る(7)。

しかし鮮やかに見えた九〇億ドルの決断は、後になって大きな混乱を引き起こす。九〇億ドルは円での拠出なのか、ドルなのか、そしてアメリカだけに向けたものなのか、あるいは多国籍軍全体を対象としたものなのか、詰められていなかったのである。

橋本は間違いなくドル建てであったとして、そのレートについては「交換公文を書くときに、基準日をいつというのは、私は外務省が当然おやりになることだと思っていたし、そこの作業には大蔵省は入れていただけませんでした」と外務省に非があったとする。

これに対して当時駐米大使であった村田良平《りょうへい》は、「この〔日米蔵相〕会談には私は陪席できず、通訳を除けばさしであった。悔いても詮無いことではあるが、閣僚レベルの話合いであり、つめが足らなかった」「プロの外交官同志《ママ》の交渉なら必ずつめたポイントである」と述べる(8)。それ以前から日米蔵相会談に駐米大使が同席できるか否かは、外務省と大蔵省が熾《し》烈《れつ》な対立を繰り広げる「霞が関三〇年戦争」であった。このような霞が関内の主導権争いの一方で、帰国した橋本を待っていたのは「九〇億ドルでは足りない、もっと出すべきだという党側のご意見で、総理の御前で党三役とぶつかる場面になりました」（橋本）という、自民党政調会長の加藤六月《むつき》との対立であった。[9] 海部によれば、「そのときの〔橋本〕大蔵大臣と〔加藤〕政調会長の人間関係がはじめこちらもピンときていなかった」「〔二人は〕選挙区が同じでね。だもんだから、貢献策の話をするときにどうもうまく動かないと思ったのはそこがあって……」「〔加藤は海部に対して〕先生、蔵相はみんな自分の顔をしてやるから、九〇億ドルなどと言っておったら駄目だ。一〇〇にして出して丸くだ」[10]。加藤の主張が通ることはなかったが、中選挙区制度の当時、加藤は橋本と岡山の選挙区を同じくし、「六龍戦争」とまで言われる犬猿の仲であった。そして首相である海部は九〇億ドルをめぐる混乱について、「いろんなことがあったみたいだけれども、とにかく大蔵大臣の個性かな。「とにかく黙っておれ」ということになって……」と、どこか他人事である。[11]

この九〇億ドルをめぐる問題は湾岸戦争終結後も尾を引き、最終的に為替の変動で目減りした約五億ドルと同額を、日本が環境汚染や難民対策のために湾岸協力会議（GCC）に拠出すること、また英国など他の多国籍軍に配分することで生じた七億ドルの目減りについては、米側も補塡《ほてん》を求めないことで決着した。

冷戦の終わりは二度訪れた

湾岸戦争は、アメリカを中心とする多国籍軍がイラク軍から抵抗らしい抵抗も受けないままにクウェートを奪回し、イラクは開戦から三ヵ月あまりで停戦に合意した。前記の九〇億ドルを含め、日本が最終的に支出した多国籍軍への財政支援は一三〇億ドルにのぼった。これは国民一人当たり一万円強にあたり、政府は法人税や石油税を一時的に引き上げることで対処した。とはいえ、戦争終結後に機雷除去活動のため湾岸に派遣された自衛隊幹部は他国の軍人から、中東から日本に続々と向かうタンカーを「なぜ、中東地域から［石油を］ほとんど輸入していないわれわれが、守らなければいけないのか」と言われ、日本人は一人当たり一万円払っていると説明したところ、「百ドルさえ払えばペルシア湾に来なくてよいのなら、俺はここで払ってやるよ」と言われたという(12)。

その一方、米軍を率いたシュワルツコフ将軍は回顧録で、サウジアラビア政府やワシントンの官僚機構を相手に、日々膨張する派遣米軍の経費調達に苦闘する中、「日本のおかげが無かったら、〈砂漠の楯〉［作戦］は［九〇年］八月中に破算していたはずだ」「日々の運営費をこれ［日本の財政支援］でまかなうことができたのだ」と最大級の謝意を記している(13)。しかし米議会は、日本政府が自国の拠出金が戦闘行為に加担しないよう、用途を厳密に後方支援に限るよう求めたことに怒りを爆発させた。「［日本は］ようやく金を出すことになったと思ったら、もったいぶってなかなか渡そうとしない」「おまけに使い道を制限するヒモまでついている」（アスピン下院軍事委員長(14)）。日本側にしてみればこの制限は、国会で公明党を引き込むための苦肉の策であった。

ワシントンで対日批判の矢面に立たされた村田駐米大使は、こう回顧する。「この〔対日批判の〕大合唱には、心理的には湾岸危機直前までに生じていた、経済的な日本の対米進出に対するねたみや反日感情が決定的にあづ《ママ》かっていたことは勿論である」。日本は「全く割に合わない立場に立たされたというのが、私の偽らざる総合的結論である」[15]。アメリカへの違和感を隠さない村田はこの後、駐独大使へ異例の転任となった。

湾岸戦争における日本の「外交敗戦」について象徴的に語られるのは、終戦後にクウェート政府が米主要紙に掲載した感謝広告の一件である。クウェート解放に貢献した国々へ感謝するとして、三〇ヵ国が列挙されていたが、そこに日本の名前はなかったのである。増税までして調達した巨額の財政支援と、国内の制約に縛られながらひねり出した支援策は何だったのか。政府の当事者のみならず、国民・世論全体が深い徒労感にとらわれた。だが、クウェート政府が日本に謝意を示さなかったわけではなく、この広告の件は、過大に喧伝されたきらいもある[16]。結局のところ、湾岸戦争をめぐる日本の対応について本格的な総括はされないまま、深いトラウマとなってその後の日本外交に大きな影響を及ぼすことになる。

こうしてみれば、日本にとって、「冷戦の終わり」は二度訪れたと言えよう。一度目は米ソ冷戦の終わりで、世界はイデオロギーや軍事的対立に別れを告げ、経済の時代が到来するかに見えた。そこでは冷戦に距離をおき、経済発展に注力した日本こそが「真の勝者」と見えた。

そして二度目は湾岸戦争である。そこで浮き彫りになったのは、米ソ冷戦が持っていた秩序安定化の側面であった。世界を隅々まで覆った米ソ対立は、結果として地域に根ざした対立を抑え込む役割を果たした。その覆いがなくなったことは世界を不安定化させる要因にもなる。湾岸戦争はその最初にして典型的な事例であった。そのとき、国際社会は秩序維持のために力を合わせることができるのか。この問いに日本は正面からの答えを持ち合わせていなかったのである。

金丸訪朝団

一方、この時期のアジアにおける二大潮流は、韓国、フィリピンなどで起きた民主化の動きと、APECに代表される経済統合のダイナミズムであった。だが二つの潮流の双方に取り残された国もあった。その一つが北朝鮮（朝鮮民主主義人民共和国）である。

一九六〇年代までは重工業を中心に韓国よりも経済的に優位に立っていたと言われる北朝鮮だが、一九八八年のソウル五輪の頃には、韓国に決定的な遅れをとるようになっていた。さらにソ連経済の立て直しを最優先するゴルバチョフ政権が登場すると、ソ連は北朝鮮に対する石油などのエネルギー価格を従来の「友好価格」から大幅に引き上げ、北朝鮮経済は一挙に苦境に陥った。

このような中で行われたのが、自民党と社会党の議員が金丸信《かねまるしん》元副総理と田辺誠社会党副委員長を団長とした金丸訪朝団（一九九〇年九月）の北朝鮮訪問であった。日朝関係打開の動きは、竹下登政権の頃から始まっていた。その契機となったのは、韓国の盧泰愚《ノテウ》大統領が一九八八年七月に、韓国は中ソとの外交関係樹立を目指すとともに、北朝鮮が日米などと関係改善する上で協力する用意があると宣言したことであった。韓国が中ソ、北朝鮮が日米と国交を樹立する「南北クロス承認」につながる考え方である（この後、韓国は九〇年にソ連、九二年に中国と国交を結んだ）。これによって日本政府は韓国に気兼ねすることなく、北朝鮮との関係改善に乗り出すことが可能になったのである。

その直後から日本側は、大韓航空機爆破事件（一九八七年）以来とっていた北朝鮮に対する経済措置を解除し、竹下首相が国会で「わが国は、北朝鮮を敵視するといった政策はとっておりません」と答弁するなど、北朝鮮に向けて関係改善のサインを送りつづけた。とりわけ積極的だったのは安倍晋太郎《しんたろう》で、安倍は中曽根政権の外相であった際に発生した第一八富士山丸事件の解決に強い意欲を持っていた。

この事件は一九八三年一一月、冷凍貨物船・第一八富士山丸が北朝鮮を出航後、船内に朝鮮人民軍の兵士が密航のため潜んでいるのを発見し、この兵士が日本で亡命を申請したことで始まった。第一八富士山丸は、その後北朝鮮に入港した際に抑留され、船長ら二人が北朝鮮当局によってスパイ容疑で逮捕、投獄された。安倍は二人が戻ってくるなら「俺が平壌に乗り込んでもいい」という決意だったというが、事態は膠着《こうちゃく》し、安倍も病に倒れた(17)。

この問題の解決に向けた難しさは、そもそも日朝間に外交関係がないことであった。そこで北朝鮮と長年にわたる友好関係を築いていた社会党がパイプ役となり、船長らの解放を目的の一つとして結成されたのが金丸訪朝団であった。

訪朝した一行に対して金日成《キムイルソン》国家主席は容易に姿を見せず、まず夕刻に二万人のマスゲームで歓迎。それが最高潮に達したところで急遽、平壌から夜間の移動を告げられ、到着した郊外の保養地で翌朝、議員団はようやく金日成に面会を果たした。会談後の午餐《ごさん》では金主席が日本側の一人一人と乾杯を交わす歓待ぶりであった。その後平壌に戻る直前になって、「主席が、ぜひ金丸先生と二人だけでゆっくり話をしたいと希望しているので」と言われると、金丸は「たっての希望といわれて残らないわけにはいくまい」と、秘書と護衛のみを残して単身もう一泊する。帰路の車中で金丸が残ったことを聞かされた議員団からは、「団長は拉致《らち》されたんではなかろうな」と、「ドキッとするような冗談」も出たものの、「おおらかなもの」であった(18)。

訪朝の成果

金丸・金会談は、都合五時間に及ぶ長いものであったが、金丸によれば外交交渉というよりも、お互いの苦労話など、老成した政治家による談論風発の趣であった。それでも金丸は

「不幸な過去に対して率直に申し訳なかったと詫び、できるかぎり償いたいという誠意」を伝え、金は「戦後日本が歩いてきた道は正しかった」「アジアのことはアジア人で解決していこう」と語り、長い会談の最後に第一八富士山丸の二人について、金日成から「よい結果が出るでしょう。法律は人間が作るものですから」との言及がなされた。[19]

一方で平壌に戻った議員団に対して北朝鮮側は、日朝国交正常化のための政府間交渉を開始したいと伝えてきた。それまで北朝鮮は、一貫して「二つの朝鮮」、つまり日本が韓国・北朝鮮の双方と国交を樹立することは、朝鮮分断を固定化するものだと反対していた。北朝鮮による大きな方向転換だが、それは韓ソ国交樹立への対抗策でもあった。そして自社と朝鮮労働党との「三党共同声明」を文書で出すということになった。しかし日本側からすれば「こっちは共同声明の原案をつくってもいない。しかし〔朝鮮〕労働党がちゃんと用意していまして」「それをどんどん修正するということで会議を始めました」という泥縄式であった。[20]

その中で最大の問題となったのは、「戦後の償い」であった。戦前の植民地支配について日本政府は韓国に対して日韓国交正常化(一九六五年)の際に、「経済協力」を行っている。ところが北朝鮮側は植民地時代のみならず「戦後」、すなわち戦後日朝間に国交がなかったことについても、「償い」を求めてきたのであった。

日本側はこれに強く抵抗して徹夜の交渉となったが、最後は金丸が「俺が全部泥をかぶるから」で押し切った。金丸によれば「三十八度線で分断されていなければ、韓国と同時に北朝鮮にも植民地支配に対する償いができた。その支払うべきカネを今日まで遅延したことに対して、色を付けて誠意をみせるという考え方もある」との判断であった(21)。

結局「三党共同声明」には戦後についての「償い」のほか、早期の日朝国交樹立などが盛り込まれた。第一八富士山丸の乗員二人は一〇月に釈放され、七年ぶりの帰国を果たしたが、日本国内では戦後についての「償い」に対する批判が相次いだ。

金丸は帰国後、「土下座外交」を行ったという右翼団体からの攻撃に苦慮し、懇意にしていた東京佐川急便の渡辺広康社長を通じて、広域暴力団・稲川会の元会長、石井進に右翼封じを依頼した。渡辺は「石井会長に何か頼めば借りが増える。まして国会がらみの問題を頼めば借りは大きくなる。会社にとって不利益なことは分かっていたが、尊敬する金丸先生からの頼みだったので引き受けた。借りを返すため、無謀な債務保証を続けてしまった」という。やがて渡辺は石井の系列企業などに数千億円にのぼる資金を流出させたとして、商法違反（特別背任）で逮捕される(22)。

渡辺は政界に広く資金提供を行い、中でも金丸とは緊密であった。佐川から金丸へのヤミ献金が事情聴取もなく罰金二〇万円の微罪で決着すると世論の不信は検察に向かった。これに押されるように検察は金丸の脱税疑惑に着手し、一九九三年三月、政界一の実力者であった金丸を所得税法違反で逮捕した。この事件は自民党が野党に転落する大きなきっかけとなる。

日朝関係ではその後、「三党共同声明」を受けて、国交正常化に向けた政府間交渉が行われた。しかし北朝鮮の核開発疑惑に対する査察受け入れをめぐって停滞し、やがて大韓航空機爆破事件の実行犯として逮捕された北朝鮮の工作員・金賢姫《キムヒョンヒ》の日本語教師が、日本から拉致された女性ではないかという疑惑が浮上する。照会を求める日本側に対して、北朝鮮はこの問題を持ち出す限り交渉には応じられないと激しく反発し、「金丸訪朝団」を契機とした日朝交渉は頓挫した。

北朝鮮による日本人拉致は、一九七〇年代から八〇年代にかけての発生当時には「アベック失踪事件」として扱われ、一部で外国情報機関の関与を示唆する報道もなされた(23)。一九八八年には国会答弁で梶山静六《せいろく》国家公安委員長などが、一連の事件は「北朝鮮による拉致の疑いが十分濃厚」(梶山)であり、真相究明に全力を挙げると述べたものの、大きな動きには結びつかなかった(24)。この問題が国民的な関心の対象となるのは、一九九七年に北朝鮮から韓国への亡命者によって、新潟から失踪した横田めぐみ(当時中学生)が北朝鮮に居住しているとの証言がもたらされてからのことであった。

宮沢とクリントン

清新な印象で国民的な人気は高かった海部首相だが、自民党内の基盤は脆弱《ぜいじゃく》であった。

政治改革を推進する構えの海部と、リクルート事件からの復権を目指す派閥領袖とのせめぎ合いが緊迫度を増す中、海部は解散で事態の打開にあたることを示唆したが、党内からの反発を受けると発言を後退させて求心力を失い、総裁選不出馬に追い込まれた。

後継の首相に就任したのは宮沢喜一《きいち》であった（一九九一年一一月）。戦前に大蔵官僚であった宮沢は、サンフランシスコ講和会議（一九五一年）に随員として参加し、政界に転出した後も通産相、外相などを歴任、戦後政治史の大半を当事者として過ごした希有な存在であった。宮沢自身、自らの政治的履歴の長さについて「他には山県有朋《やまがたありとも》さんぐらいになりますか」と明治の元勲《げんくん》に言及している(25)。

憲法改正とは距離をおく「ニュー・ライト」（新保守）の旗手として早くから首相候補と目された宮沢であったが、ようやく首相の座をつかんだときには七二歳になっていた。自民党が「数は力」を隠さない田中派・竹下派の支配下にある中、「王道的思考には権力志向といったものはないのです」という宮沢の高踏的な姿勢が、首相の地位を遠ざける一因となったようにも見える(26)。田中角栄《かくえい》は、宮沢だけは総理にさせないと語っていたという。

長らく首相候補と見なされてきた宮沢の登場には、久々の本格政権との期待も寄せられた。宮沢を待ち受けた大きな対外的課題は、アメリカとの貿易摩擦であった。湾岸戦争で華々しい勝利を収めたとはいえ、低迷するアメリカ経済が好転したわけではなかった。「新世界秩序」を高々と掲げたブッシュ（父）大統領は、経済再生を掲げたクリントンに敗れ去る。

サミットで来日したクリントン米大統領（左）と宮沢首相（1993年７月）

大統領再選に向けた雲行きが怪しくなり始めていた九二年一月、ブッシュ大統領は、自動車会社首脳をはじめ多数の米財界人を伴って来日し、日本の市場開放を強く要求した。自動車部品などを中心に、「これから一年間、どれぐらい〔日本がアメリカから〕部品が買えるものか数字を示してほしい」というブッシュの要請は、クリントン大統領が登場すると、アメリカからの輸入について数値目標を約束せよという要求にエスカレートする。

「市場経済で数値的約束はあり得ない」と反駁《はんばく》しつづけた宮沢はこう振り返る。戦後初期には圧倒的な力の差があった日米だが、「クリントン大統領は物心ついたときにトヨタの車に乗ったかもしれないし、自分の持ち物にソニーの製品があったかもしれない。そういうふうに育てば、日本とは対等にやりとりすべきものだと考えても不思議はない」。しかし「〔相互に言いあった後に〕最後に友好関係が残るかどうかというのはまた違う話ですよ」。苦い思いを隠さない宮沢にとって、クリントンは「やはり私とは時代の違う人でしたね[27]」。宮沢・クリントンの齟齬《そご》は、ソ連なき後、日本の経済力こそが脅威だと考えるアメリカ人も少なくない冷戦後の日米関係を反映したものであった。

エリツィンの変心

「北方領土問題の解決が戦後の終わりになる」。宮沢にしては珍しく、踏みこんだ表現で意気込みを語ったのは、一九九二年七月の日本経営者協会での講演であった。この発言は佐藤栄作《えいさく》が戦後の首相として初の沖縄訪問時（一九六五年）に述べた「沖縄の祖国復帰が実現しない限り、わが国にとって戦後は終わらない」という歴史的な演説を意識したものであったに違いない。

宮沢政権が発足した翌月の一九九一年一二月、ソ連が解体・消滅した。新たに発足したロシア連邦は経済的に混乱しており、国際的支援なしには立ちゆかない状況であった。またエリツィン露大統領にはソ連の「負の遺産」を清算するという意識も強く、北方領土についても「法と正義」に基づいた解決を唱えていた。日本側には、北方領土問題の解決に向けて千載一遇のチャンスと見えたのである。

日本政府はミュンヘン・サミット（一九九二年七月）にエリツィンがやって来る機会を捉え（サミット終了後にＧ７首脳と会合）、議長のコール独首相やブッシュ大統領の支持を取り付けることによって、サミットの政治宣言に初めて、北方領土問題を盛り込むことに成功した。九月にはかねてからの予定通り、エリツィンが訪日するはずであった。宮沢の「戦後の終わりになる」という発言はこのタイミングで行われた。一方で宮沢は、四島返還の原則が示されるならば、返還の時期・様態などについては柔軟に対応すると繰り返した。日本側としては、これまでにない柔軟な姿勢を示したものであった。

しかし期待は暗転する。わずか四日前になって、突如ロシア側がエリツィン訪日の延期を通告してきたのである。なぜこのような事態が生じたのであろうか。このときロシア側が検討の中心に据えていたのは、日ソ共同宣言（一九五六年）に基づいて色丹《しこたん》・歯舞《はぼまい》の日本側への引き渡しを明示的に認めた上で、国後《くなしり》・択捉《えとろふ》については継続協議として平和条約を締結する案だったと見られる。これに対して日本側の「二段階論」は、あくまでも「四島」に対する日本の主権をロシア側が認めることを交渉の前提にしていた。日本側にはロシア案では結局事実上の「二島返還」で終わるという懸念があった(28)。

一方でロシア側には、一連の日本のアプローチは、あまりに強硬だと映っていた。ミュンヘン・サミットの政治宣言に北方領土問題を盛り込んだことは、日本が問題を国際化したきわめて不愉快なものだと受けとめられた。エリツィン自身によれば、「わがほうにいくつ案があるか数えてみた。十二あった。興味深いことに、日本側にとっては、この〔北方領土〕問題の解決は常にただの一つしかない」。そして「日本側の強力な圧力に対し、それに匹敵する確固たる答えを探す必要があった。見つかったと思った」「とにかく訪問はしない。なぜなら問題が解決していないから。ただ単に話し合うために行く、などという公式は世界中にない」[29]。かくして直前のキャンセルという異例の決定が下されることになった。

首相官邸への電話で訪日延期を告げたエリツィンに対し、宮沢は「日本国内の情勢を〔延期の〕理由とすることは「拒否」いたします」と言い切った。この頃ロシア側では、日本では各種団体が示威行動を行っており、大統領訪日中の安全が十分には保障されていないと指摘するなど、日本側に責任を転嫁しようとする動きが活発になっていた。宮沢はこれに釘をさしたのであった[30]。

この時期のロシアでは、折から進められた急進的な改革が経済混乱を引き起こし、貧富の差が急拡大する中、ナショナリズムが台頭していた。このような状況で、日本側に譲歩しすぎだと見られるような提案を行うことは、困難になりつつあった。「〔一九九〇年頃には〕「北方領土」といって理解できる人間がロシアにどれほどいたか、思い起こしてほしい。一部の知識人を除いて、ほとんどすべての人々がそんな問題の存在することさえ知らなかった。それがいまは、みなが騒ぐようになった」（ロシア大統領補佐官[31]）。

北方領土問題が次の山場を迎えるのは一九九〇年代後半の橋本政権時代であり、そこでは中国の急速な台頭が、日露両国を接近させることになる。

天皇の訪中を

一九九二年は、日中国交正常化二〇周年の節目であった。中国が天安門事件後の国際的な孤立から完全には抜け出すことができない状況であったが、中国側は二〇周年に合わせた史上初の天皇訪中を、事件以前から日本側に打診していた。

最初に天皇訪中を打診したのは、最高実力者・鄧小平《とうしょうへい》だと言われるが、その後も中国はことあるごとに天皇の訪中を招請した。中国側の意図はどこにあったのか。「天皇訪中の実現は〔日本国内の〕反中勢力が中日友好に反対する根拠を失うことになる」（中国政府幹部）。中国側は、対中関係をめぐって諸勢力が入り乱れる日本国内を「日中友好」の方向に導く上で、天皇訪中が絶大な効果を持つはずだと考えたのである。しかし日本側当局者は、度重なる中国からの招請が右翼をはじめ国内の反対勢力を刺激することを懸念して、招請自体を公にしないよう望んだ(32)。一九八〇年代半ばには、中曽根康弘首相と胡耀邦《こようほう》・中国共産党総書記が盟友関係を築き、日中関係は最良の状態にあった。このときも中国側は天皇訪中を熱心に求めたが、日本側は否定的であった。その理由として日本側が挙げた中で最大のものは、昭和天皇が宿願としていた沖縄訪問がいまだ実現していないことであった。加えて日本政府にはこのとき、中国よりも、かつて植民地支配を敷いた韓国への天皇訪問を優先させる方針があったという(33)。

天皇訪中が具体的に動き始めたのは、平成に入ってからである。江沢民《こうたくみん》総書記の来日が決まったことを受ける形で、中国側は天皇訪中を招請した。しかし自民党内の慎重論は根強かった。韓国で従軍慰安婦問題がクローズアップされる一方、中国国内でも日本に対して戦争中の民間賠償を求める動きが顕在化していた。こうした中での訪中は、天皇が政治に巻き込まれることになるといった声が相次いだ。これに対して中国側は、この頃日本国内で山場を迎えていたＰＫＯ法案に対する強い批判を控えるなど、天皇訪中に向けた環境作りに注力した。

実現した天皇訪中

宮沢首相はＰＫＯ法が成立（一九九二年六月）すると、天皇訪中の決定に向けて動き出した。しかし韓国への配慮などを理由に難色を示す中曽根元首相をはじめ、慎重論は依然強力であった。宮沢が「今のように意見が分かれている時、総理という責任ある立場として決められない」と弱音を吐く中、「自民党のドン」ともいうべき力を誇った金丸信は宮沢に電話をかけ、「宮沢君、天皇訪中問題について決めるべきはごちゃごちゃ言わず早く決めたまえ」と決断を迫ったという(34)。金丸は訪朝した際の発言に反発した右翼から狙撃を受けていた。それだけに金丸が、右翼勢力を刺激しかねない天皇訪中を強く推したことには重みがあった。

訪中実現に舵を切った宮沢は、自民党内の親台湾派に影響力を持つ福田赳《たけ》夫《お》元首相の下に足繁く通い、また党内の慎重派に配慮するためか、靖国神社を極秘に参拝したといわれる(35)。さらに賛否両論の民間有識者から意見を聞く会合を持つなど手順を重ねた上で八月末、天皇訪中を閣議決定したのであった。

天皇来訪を前にした中国国内ではデモ行進や署名活動を含め、一切の反日的な言動を認めないよう、公安、言論機関などに厳しい指示が下された。宮沢も「陛下の訪中を私が決心できたのは、中国首脳が「絶対に安全はお守りします」と約束したからです。中国首脳部が絶対に守ると言ったら、それは信用できますよ」と振り返る[36]。

天皇皇后は一九九二年一〇月に訪中し、内外の注目を集めた天皇の「お言葉」では、「我が国が中国国民に対して多大の苦難を与えた不幸な一時期がありました。これは私の深く悲しみとするところです」と述べた。この訪中に際して天皇の政治利用という批判を避けるため、また日本国内における合意形成が困難であったため、日本政府としては歴史問題には極力触れない方針であった。その中にあって、「不幸な一時期」について「私の深く悲しみとするところ」という「お言葉」は、天皇自身が主導した表現であったと見られる。中国側関係者も「我々は天皇が訪中に際してのお言葉を自らの決断で書かれたと聞き、（その内容に）満足している」と述べている[37]。

天皇訪中は確かに日中交流史上において、一つの到達点を示す出来事であった。これによって日中間の「歴史」をめぐる問題にも、一つの区切りをつけることができたと見なすのか否か。区切りをつけたと考える日本側と中国側とで、後に理解の食い違いが露呈する。天皇訪中に奔走した中国政府高官の一人は後年、こう漏らした。「二一世紀の中日関係を考えると、天皇訪中はあの時のチャンスでできなかったら、今も実現していなかっただろう[38]」。

なぜＰＫＯへ転換したか

天皇訪中とともに宮沢政権にとって大きな課題となったのが、自衛隊の国連カンボジアＰＫＯへの参加問題であった。湾岸戦争で議論の中心となったのは、自衛隊が多国籍軍の後方支援活動を行うことの是非であった。戦争終了後、小沢自民党幹事長は党内に委員会を設け、国連軍など国連の集団安全保障への参加は「国権の発動」ではないので、憲法九条の下でも可能だと結論づけた。しかしその後、議論の焦点は国連によるＰＫＯへと移行していく。なぜ集団安全保障からＰＫＯへと議論が横滑りしたのか。湾岸戦争時に国連平和協力法案が廃案となった際（一九九〇年一一月）、自民と、野党であった公明、民社が交わした「三党合意」がその転換点であった。「三党合意」は平和維持活動に絞った点、自衛隊とは別組織とした点で、小沢の主張から大きく転換した内容であった。

ここでも背後にいたのは金丸であった。湾岸戦争の最中、小沢は結果的に廃案となる国連平和協力法案に突き進んだが、参議院で野党が多数を占める中、法案成立の見通しは立たなかった。小沢の後見役である金丸は、法案の行き詰まりによって小沢が責任を問われる事態を避けるため、「三党合意」の取りまとめに動いたのである。「自衛隊とは別組織」としたことには、創価学会婦人部を中心に自衛隊の海外派遣に強い反対があった公明党に配慮するとともに、社会党を巻き込む意図が込められていた。合意の文案は、公明党の市川雄一書記長が社会党の考えを一部取り入れながら書いたと言われる。[39] 長年にわたる国会対策で野党と信頼関係を築き、「民主主義の基本は妥協である」としばしば口にした金丸の手法がこの局面でも発揮されたのである。[40]

その頃カンボジアでは、駐留していたベトナムが軍を引き揚げ（一九八九年）、長年内戦を繰り広げていた各派の間で和平に向けた動きが本格化していた。パリ和平合意（一九九一年一〇月）を受けて国連PKOの下で総選挙が行われることになるが、日本にとっては「国際貢献の可能性の一つとしてPKOが念頭にのぼり始めた時期に、たまたまカンボジアへのPKO展開という問題が出て」きた形であった。[41] 日本政府にはカンボジア和平の実現に粘り強く関与してきたという自負があり、湾岸戦争からの失地回復という意味でもカンボジアPKOへの参加は重要だと考えられるようになる。

自社路線vs.自公民路線

湾岸戦争では自衛隊の派遣に徹底して反対していた社会党だが、国連PKOに反対していたわけではない。異を唱えていたのは自衛隊の海外派遣であり、対案として文民から構成される「平和協力隊」の創設を提起していた（自衛隊員は退職後に参加できるとされた）。金丸がレールを敷いたとおり、社会党を含めた合意が形成されるかにも見えた。

しかし一九九一年六月から七月にかけて自社公民の議員団によるPKO調査団が海外視察

を終えると、自公民の議員はPKOには軍事的訓練を受けた人員の参加が不可欠であり、自衛隊員を「併任」で新組織に所属させる方針でまとまるようになった。あくまで自衛隊員の参加に反対する社会党との溝は深いものとなった。

自公民は国連PKOへの自衛隊参加と、武力行使を禁じるこれまでの政府の憲法解釈を整合的なものとするために「PKO五原則」を策定した。日本がPKOに参加する際の条件として①紛争当事者間の停戦合意、②紛争当事者の同意、③厳正中立、④以上の原則が満たされない場合には撤収、⑤武器使用は要員の生命保護など最小限に限る、というものである。

これらを踏まえ、一九九一年九月に海部内閣の下でPKO法案が国会に提出されたものの、民社党はPKOに参加するたびに国会での承認が必要だと主張し、また公明党は自衛隊の海外派遣を急ぐことに対する支持者からの反発に直面した。自公民の足並みが乱れる間に政治改革法案をめぐって海部政権は崩壊し、課題は宮沢政権に引き継がれることになったのである。宮沢政権時に公明党は法案を成立させるため、平和維持活動の「本体業務」、すなわち停戦監視や緩衝地帯での駐留・巡回など、武力行使につながる可能性の高い業務について凍結することを提起したが、民社党は反発した。

その傍らで社会党の田辺委員長は、法案修正が行き詰まったときの「落としどころ」として、カンボジアPKOに限った時限立法を構想し、内々に盟友・金丸と接触していた。この動きに驚いたのが公明、民社である。従来の主張を軟化させ、自公民は結束を取り戻した。

今度は取り残される社会党が慌てた。田辺は宮沢首相を訪ね、「国論を二分したまま、自衛隊の海外派遣について結論を出すのは避けるべきだ」として、カンボジア支援の時限立法を検討するよう申し入れたが、宮沢が聞き入れることはなかった。社会党は「牛歩戦術」や議員辞職願の集団提出などで抵抗したものの、自公民の結束を崩すことはできず、一九九二年六月一五日、宮沢首相の下でPKO法は成立した。結束を固めた自公民を「自公民党」と呼ぶ向きも現れた。

この間、金丸は「社会党の要求に柔軟に対応する方法は何かないか」と、田辺との協力関係の維持にこだわったが、竹下、小沢が抑え込んだ。金丸は田辺に「悪いが、今回は手が出せない」と電話し、後日の会食で「あんたに、つらい思いをさせてしまった」と涙したという(42)。PKO法案をめぐって竹下派は金丸―田辺の自社路線を封印し、自公民路線を選択して宮沢首相もそれに乗った。自公民結束の鍵は、「一・一ライン」とも呼ばれることになる小沢一郎と市川雄一公明党書記長との新たな盟友関係であった。

「社公民」の終焉

自民党と社会党による五五年体制は、左右のイデオロギー対立を反映した国内冷戦として捉えられるが、小沢はそれを次のように否定する。「自民党と社会党は対立するどころか、実際は裏で国会質疑のQ&Aまでも作って、なあなあでやっていた。結局は全会一致と同じだ」[43]。そこにはカネにまつわることも少なくなかった。かつて自社両党が本気で対決したのが憲法九条に関わる問題であり、一九六〇年の安保騒動はその頂点であった。その後、自民は憲法九条にまつわる問題を棚上げし、自社の共存体制が形成されたのである。

一方、自社の間で揺れたのが、「中道」を掲げた公明党である。一九六四年に結党された公明党は、中道・革新の社公民路線と、自民と連携した政権入り志向との間で揺れつづけたが、そこで鍵となったのはやはり安全保障問題であった。結党当初の公明党は、日米安保条約への反対とその段階的な解消を掲げたが、やがて自衛隊の既成事実化を是認したかと思えば、有事法制をめぐっては党内が混乱した末にこれに反対するといった具合であった。公明党指導部には、大平政権時の「四〇日抗争」や、中曽根政権時の二階堂進《にかいどうすすむ》自民党副総裁擁立劇など、自民党の内紛時に一方の陣営の誘いで与党入りに傾くなど与党願望が強かったが、他方で創価学会をはじめ支持者には平和志向が強かった[44]。

その公明党が安全保障問題で明確に自民、民社と組む一方、社会党とはっきりと袂《たもと》を分かつことになったのが、このＰＫＯ法案であった。公明党指導部が、ＰＫＯ五原則や「本体業務の凍結」などによって、支持層の不満を緩和する手立てを重ねたのは見たとおりである。また、連合（日本労働組合総連合会）を基盤に当選した議員が結成した連合参議院は、そもそも同根である社会党と民社党（社会党を離党した右派が一九六〇年に結成）の対立を回避するため、自衛官の休職・出向も認めた別組織を提案するなど妥協案を模索した。それらの差は妥協可能であり、社会党を含めた合意も困難ではなかったように見える。しかし、自公民によるPKO法がいったん成立すると、社会党との溝は決定的なものとなった。

この後七月の参議院選挙で社会党は、「社民勢力の結集」を掲げて臨んだが、PKO法案をめぐる民社党との断裂は深く、大敗を喫した。その後本格化する政界再編のうねりの中で、社会党は急速な衰退へと向かう。PKO法案の成立は、初めて自衛隊が海を渡ることを可能にしただけではなく、国政レベルにおける「社公民」の最終的な解体と「自公民」路線の形成という点で、国内政治に不可逆的な変化を引き起こした。湾岸戦争時の集団安全保障に関わる議論は、PKOへと変質した。それは憲法九条と国連軍などを定めた国連憲章の関係をどう考えるかという根本的な問いに対して、正面から答えることを回避したものであった。しかし結果としてこの「変化球」は、営々とつづいてきた五五年体制を突き崩すだけの力を内に孕《はら》んでいたのである。

PKOでの犠牲と決断

PKO法の成立を受けて一九九二年九月、自衛隊がカンボジアへ出発した。しかし現地の情勢は不穏なものになりつつあった。かつての大量虐殺を糾弾《きゅうだん》されることを恐れるポル・ポト派が武装解除を拒み、総選挙への不参加と武力による選挙妨害を示唆したのである。翌九三年四月には国連ボランティアとして選挙監視活動にあたっていた日本人が襲撃され死亡し、五月にはUNTAC（国連カンボジア暫定統治機構）要員の日本人警察官が待ち伏せ攻撃を受け、一人が死亡、四人が重軽傷を負う事態となった。

五月の事件を受け、宮沢首相は連休中の滞在先である軽井沢から急遽、東京に戻った。その途上、留守を預かる河野洋平《こうのようへい》官房長官は、「東京ではもう、みんながカンボジアから自衛隊などを引き揚げるべきだと言っている」と宮沢に伝えた。日本がPKOに参加する前提である「紛争当事者間の停戦合意」は崩れたという判断であった。

「ちょっと待ってくれ、私が戻るまでサインしないでくれ」と返答した宮沢が下した判断は、PKOの継続であった。「もちろん、人が一人亡くなるということは、日本では大変なことです。しかし、国際社会では、紛争地域などで人が一人亡くなるということは残念ながら大きな問題にはなりません」「このときもしも日本が引き揚げれば、国際的な信用がどうなるだろうということを重視しました」。こう振り返る宮沢だが、「正直に言いまして、もしもあのとき、もう一人亡くなっていたら分からなかったです」と、重圧の苦悩を後年吐露している[45]。

宮沢の決断に対して、安全を前提に参加したと考える日本の警察関係者の間には、動揺が広がった。現地に派遣された日本人警察官は首都プノンペンに引き揚げ、日本政府はUNTACに対し、日本人要員の安全確保と、文民警察官の安全な地域への再配置を要請した。しかしそれはUNTACにとっては、できない相談であった。UNTACの明石康《あかしやすし》代表は、日本人の特別扱いはできないと返答し、UNTACの文民警察部門責任者は、日本人警察官が退避したことに対し、「職場離脱で規律違反」であると見なして日本側に抗議した。[46]

このような波乱を含みながらも、カンボジア総選挙は大きな混乱もなく実施され、ポル・ポト派の妨害にもかかわらず投票率は九〇％に迫るものとなった。国家再建に寄せるカンボジア国民の熱い期待の表れであった。

「東アジア共同体」の源流

カンボジアPKOは日本にとって湾岸戦争からの挽回というだけではなく、福田ドクトリン（一九七七年）以降唱えてきた東南アジアの安定を目指す外交の一つの到達点でもあった。福田ドクトリンはベトナム戦争後に共産化したインドシナ諸国とASEAN（東南アジア諸国連合）諸国との共存を一つの目的としたが、カンボジア和平はその実現に大きく近づく動きであった。

他方、その傍らで日本が「アジアの一員」としての立場を問われることになったのがEAEC（東アジア経済協議体。当初はEAEG）構想であった。これはマレーシアのマハティール首相が一九九〇年に打ち出したもので、ASEAN諸国と日中韓などで貿易や投資促進のための経済協力を進めようというものであった。その背景には欧州統合やNAFTA（北米自由貿易協定）など、欧米における経済ブロック化の動きへの対抗があったが、マハティールがかねてから日本や韓国の集団主義や勤労倫理に学ぼうという「ルック・イースト政策」を掲げていたことも同構想への注目を高めた。

しかしブッシュ（父）政権はアメリカを排除し、太平洋を分断するものだとして同構想に強く反発した。このためグループ（group）をより緩やかな協議体（caucus）に改め、当初のEAEGからEAECとしたが、アメリカの反発は収まることがなかった。従来から歯に衣着せぬ欧米批判で知られたマハティールが、「米国がカナダ、メキシコとNAFTA作りを進めていながら、一方でEAEGに反対するのは、背景に人種差別的な偏見がある」と言えば、ベーカー米国務長官は同構想に理解を示す韓国の李相玉《イサンオク》外相に対して、「私は、李外相に、〔朝鮮戦争で〕四十年前に韓国のために血を流したのはマレーシア人ではなくアメリカ人だった、と念を押した」と言い放った(47)。EAEC構想は良くも悪くもマハティールという強烈な個性の産物であり、それがアメリカの反発の大きな要因でもあった。

その間で板挟みとなったのが日本である。マレーシアはEAECの中心メンバーに日本を想定し、熱心に参加を求めた。一九九一年に天皇皇后がマレーシアを訪問した際、アズラン・シャー国王が、「日本はEAEGでは指導的役割を果たせることを認識していただきたい」と異例のスピーチを行うほどであった。これに対してアメリカは、「どんな形であれ、太平洋に線を引くことは、絶対に認められない。EAEG構想は太平洋を二分し、日米両国を分断するものだ」（ベーカー国務長官）と、日本が明確に反対するよう強く求めた(48)。

終わりの見えない対米貿易摩擦に疲弊する中、日本の官庁の中堅若手には同構想を好意的に受けとめる空気もあったが、宮沢首相は欧米を排他的なブロック形成に追いやらないためにも、東アジアは開放的でなければならないとして否定的な姿勢を示した。結局日本はＥＡＥＣをＡＰＥＣの中に位置づける、あるいは豪州、ニュージーランドがＥＡＥＣに加盟するのであれば日本も参加の用意があるなど、条件をつける姿勢をとるようになった。ＥＡＥＣを否定することは避けつつ、アメリカの反発も避けるための苦肉の策であった。

結果としてＡＳＥＡＮも、ＥＡＥＣの意義を否定しなかったものの基本的に先送りの姿勢をとった。マハティールから事前の相談がなかったことに不快感を抱くＡＳＥＡＮの有力者、インドネシアのスハルト大統領は、ＡＰＥＣを優先する姿勢をとった。(49)

このときにはマハティールの個性もあって過度に政治化され、頓挫したＥＡＥＣ構想であったが、同構想の枠組みは九〇年代後半のアジア通貨危機の際に形成されたＡＳＥＡＮ＋３によって実現されたと見ることもできる。その背後にあったのは、アジア域内の経済的相互依存の深化という、とどまることのないうねりであった。

第2章　非自民連立政権と朝鮮半島危機——細川・羽田政権

細川首相の登場

政治改革法案をめぐって自民党は分裂し、宮沢首相は衆議院を解散した。総選挙後に、非自民・非共産の八党派連立の細川護熙《もりひろ》政権が発足して、五五年体制は終わりを告げた。自民党竹下派内の権力闘争で劣勢となった小沢が、政治改革を旗頭に自民党を離脱して新生党を結成したことが引き金となった政界の地殻変動であった。

一九九三年八月に細川政権が発足したとき、内閣支持率は各社調査で軒並み七〇％を超え、それまでの歴代最高を記録した。とはいえ細川政権は特に外交・安全保障政策において、最大与党の社会党から「普通の国」を掲げる小沢の新生党までが同居する不安定さを内包していた。しかし新鮮な印象を与えた細川首相の人気と、衆議院の選挙制度改革を中心とする政治改革に向けた気運が政権の求心力となった。細川は外交面においても就任当初から過去の戦争について、「侵略行為」だと明言して「深い反省とおわび」を表明し、歴代自民党政権とは一線を画する姿勢を明確にした。

一〇月にはエリツィン露大統領が来日してシベリア抑留について謝罪したほか、北方領土問題については一九五六年の日ソ共同宣言をロシアとして継承すること、四島を明記した上で解決に向けた交渉を継続することで細川首相と合意した。エリツィンは細川に、「自民党政権なら自分は来なかったかも知れない」「細川首相の侵略発言があったから、自分も思い切ったことが言えた」と述べたという。[1] しかしその後、日露双方における内政面での混乱もあって政治レベルの接触は活発さを欠き、このときの合意が問題解決に向けたうねりを作り出すには至らなかった。

また引きつづき懸案であった日米貿易摩擦については、コメ輸入の部分的な開放に踏み切ったほか、九四年二月の細川訪米時には貿易摩擦をめぐる「数値目標」の導入をめぐって首脳会談が決裂し、これを細川が「成熟した大人の関係」だと述べたことが耳目を引いた。

貿易交渉決裂の一方で細川は、この訪米に向けて税制改革に取り組んでいた。かねてから景気対策が課題となっていたことに加え、クリントン政権が日本の内需拡大に向けて大型減税を求めていたのである。他方で大蔵省は減税のための財源確保を理由に、消費税率の引き上げを求めていた。連立与党内の議論は錯綜《さくそう》したが、訪米時に細川が減税を表明することは既定路線となっていた。細川は訪米を数日後に控えた二月上旬の未明に急遽記者会見を開き、六兆円の減税を実施するとともに、九七年四月に消費税を衣替えして税率七％の「国民福祉税」を設けると発表した。突然の発表であったことに加え、「七%」の根拠を問われた細川が「腰だめ」と述べたことで混乱と反発が広がり、構想は撤回され、減税のみが一年限りで実施されることになった。細川政権の求心力は大きく失われたが、その背後には対米関係があったのである。

「バブル崩壊後、日本経済はもうほとんどガタガタになっていたのだけれど、クリントン政権はその前の日米の経済戦争の余韻がありましたから、日本にかなり厳しく出ましたよね。内政干渉」と当時、通産相であった熊谷《くまがい》弘《ひろし》は振り返る。(2)

「樋口レポート」をめぐって

一九九三年一〇月三一日、細川首相は自衛隊観閲式に出席した。慣例のモーニングではなくスーツ姿の細川は、「急激に変わった国際環境の中で、世界のどの国にも率先して、わが国が平和を主導し、軍縮のイニシアチブをとっていかなければならない」と軍縮を掲げる異例の訓示を行った。自衛隊内では反発もあったが、時代が大きく変わりつつあるという強烈なインパクトを与えたのも事実であった。

細川は総選挙前、自らが率いる日本新党の公約でも、冷戦後の状況を踏まえた軍縮の必要性と防衛大綱の見直しを掲げていた。その背後にあったのは「防衛費というものは放っておけば、いつの時代でも急カーブで上昇する因果を持ち合わせたるものなるが故に、リーダーたるもの常に断固たる抑制の意志もたざるべからず」「わが国は決して軍事大国になってはならぬ」といった抑制的な防衛観であった(3)。

観閲式での訓示を具体化すべく、細川の肝煎りで九四年二月に有識者や官僚OBからなる防衛問題懇談会が発足した。半年後に提出された報告書は、座長であった樋口廣太郎《ひろたろう》アサヒビール会長の名をとって「樋口レポート」と呼ばれたが、注目されたのは報告書の記載で「多角的安全保障協力」が、「日米安全保障協力関係の機能充実」よりも先におかれたことであった。この順序に対して米側の一部から警戒感が示された。日本が安全保障政策の重点を、日米同盟から多角的安保へ移行しようとしているように見えるというのである。

しかしこのような反応は、樋口レポートの作成者にしてみれば的を射たものではなかった。実質的な執筆を行った渡邉昭夫によれば、アジアでも冷戦が終わる中、日米安保はアジアの多角的安全保障の中で、これまで以上に積極的な意味を持つ必要がある。従って多角的安全保障と日米安保は決して二者択一ではなかった(4)。

米側の一部から警戒感が提起された背景には、それら米側関係者が日本の「米離れ」を喧伝することで日米同盟の重要性を時の政権にアピールし、要職を得るといったワシントン内部の政治力学もあったが、アジア太平洋に冷戦後の変化が生じつつあったことも無関係ではあるまい。その一つは米ソ冷戦が終結し、米議会から「平和の配当」を求める声があがる中、アメリカがどの程度、この地域に軍事的プレゼンスを維持するのか定かではないと見られた

首脳会談後の共同会見での細川首相。奥はクリントン米大統領（1993年９月）

ことである。樋口レポートでも「米国の財政的考慮や軍事情勢の評価次第では、アジアにおけるその態勢に多少の修正があるかも知れない」としていたが、このような見方は日本に限らず、この時期のアジア一円に広がるものであった。

もう一つはアジア太平洋の安全保障面における多角的地域協力の活性化である。米ソ冷戦の終結後、豪州やカナダから、アジアにも全欧安保協力会議（ＣＳＣＥ）のような広く地域を覆う安全保障の対話の枠組みを創設する提案がなされた。しかしＡＳＥＡＮには域外大国からの干渉に対する警戒があり、代わりにＡＳＥＡＮ拡大外相会議を母体にすることを提案した。「ＡＳＥＡＮが乗りやすいもの」を重視する日本もこれを積極的に支持し、一九九四年にＡＳＥＡＮ地域フォーラム（ＡＲＦ）が発足した。広くこの地域の安全保障問題を取り上げる枠組みが、初めて発足したのである。

また一九九三年には開催国アメリカの主導によって、それまで閣僚会議を主体としていたＡＰＥＣで初の首脳会議がシアトルで開催された。アジア太平洋の首脳が一堂に揃った光景は、新時代の到来を感じさせるのに十分なものであった。

樋口レポートを執筆した渡邉は、米側から聞こえてくる懸念の多さに、「多角的安保」と「日米安保」の順序についてあらためて思いをめぐらせたが、結局元のまま、「多角的」を先にすることを決めたという。国際環境の変化を受けた多角的安保の将来的な重要性と、その文脈においても日米安保の強化が必要だという議論の骨組みは、元の順序でよりよく表現されるという判断であった。

渡邉は日本においてアジア太平洋という地域概念の重要性をいち早く唱え、APECの母体となった太平洋経済協力会議（PECC）などにも積極的に関わってきた。しかしそのたびに直面したのが、日米安保を多角的安保と関連づけて語ること自体をタブー視する一部の日米外交・安全保障当局者の空気であったという[5]。渡邉が、まず「多角的安保」で次に「日米安保」という順序にこだわったのは、そこに新しい時代の息吹を吹き込みたいという意図の表れであった。

一九九四年八月に樋口レポートが完成したときには、すでに自民、社会、さきがけの連立で村山政権となっていた。細川はもっと踏みこんだ軍縮が打ち出せなかったのかとレポートに不満を抱き、一九九八年には日本は自衛隊が守るので在日米軍は不要だという「有事駐留論」を米外交誌で発表して話題を呼んだ[6]。

ナイ・レポートと沖縄

樋口レポートと前後して米側でも、冷戦後におけるアジア太平洋への関与を検討した報告書が作成された。中心となったのはハーバード大学教授から国防次官補に転じていたジョセフ・ナイである。ブッシュ（父）政権は、冷戦終結を受けて海外に展開する米軍兵力の大幅な削減に乗り出し、アジア太平洋では九万人まで削減されることになっていた。これは「平和の配当」を求める米議会に向けて、「ここまで引ける」と先手を打つことで、さらなる大幅な削減を回避するねらいであったが、結果的にアメリカは撤退していくという見方をアジア諸国に広めた面は否めなかった。

この前政権での流れを変える必要があるという考えの下、ナイが専門家を主導してまとめたのが、一九九五年二月に国防総省から発表された「東アジア戦略報告」（通称「ナイ・レポート」）である。同報告は「予見しうる将来は現有の一〇万人の兵力で、安定した前方展開プレゼンスを維持するコミットメントを再確認する」と明記した。「一〇万人」という具体的な数字には、「撤退、削減はもはやここまで」という一線を引き、アジア諸国に対してアメリカの継続的関与を示すねらいがあった。

ナイは、多角的安保にも力点をおいた樋口レポートについて、「どこに問題があるのかちっともわからなかった。むしろ、日本の新たな行動主義とグローバルな視野の広さと積極性を感じて、心強かった」と語っており、二つの報告書に隔たりはないと言えよう(7)。

一方で一〇万人という具体的な数字を明記したことが、思わぬ反応を引き起こす。日本国内においてナイ・レポートに最も鋭敏に反応したのは、沖縄県知事の大田昌秀《おおたまさひで》であった。狭い県内に在日米軍専用施設のおよそ四分の三を抱える沖縄県にとって、「一〇万人体制の維持」は重大な意味を持つものであった。米軍の規模が維持されるなら、冷戦後も沖縄の基地はそのまま固定化されかねない。知事就任前の琉球《りゅうきゅう》大学教授時代から米側の情報収集に注力していた大田は、「戦後五十年の節目の年〔一九九五年〕を県民の宿願である、戦後問題を解決する年として位置づけ、基地問題に真正面から取り組もうとしていただけに、「ナイ報告」に大きな衝撃を受けた」という(8)。

ナイ・レポートによって日本政府も拘束されるとしたら、これまで以上に強い形で沖縄から異議を申し立てない限り基地整理・縮小はもはや実現しない。そう受けとめた大田が選んだ手段が、県内の米軍用地の契約更新に関する「代理署名」を拒否することであった。やがて事態はこの年の九月に起きる少女暴行事件を経て、橋本首相による普天間基地返還合意、そしてその後の錯綜へとつながっていく。

第一次北朝鮮核危機

一九九三年三月、北朝鮮はNPT(核拡散防止条約)からの脱退を宣言した。かねてから北朝鮮による核開発疑惑が浮上していたことから、IAEA(国際原子力機関)が同国に対して査察を求めていたのを拒否した末の脱退宣言であった。その後、北朝鮮がアメリカとの直接交渉を求めたのに応じて米朝協議が行われた。しかし北朝鮮がいったんは受け入れたＩＡＥＡによる査察を妨害する行動に出たことから、アメリカは国連による経済制裁を求めた。北朝鮮は「制裁は宣戦布告だ」と繰り返し警告し、九四年三月には南北実務者協議で韓国側に対して「ソウルはここからそれほど遠くない。もし戦争が勃発すればソウルは火の海になるだろう」と発言するなど緊張が高まった。

アメリカは朝鮮半島周辺で米軍を増強するなど対応を急いだ。ペリー米国防長官はこの局面が「本当に戦争に至る危険をはらんでいた」と振り返り、「われわれは北朝鮮が大規模な核兵器開発計画を進めるのを認める方がさらに危険だと判断した」という[9]。ソウルでは危機感の広がりを受けて株価が六月半ばには二日間で二五％も下落し、食料品などの買い占め騒ぎが起きていた。

六月中旬にはホワイトハウスで、北朝鮮の核開発問題に対する決定を下す会議が開かれ、クリントンは安保理に制裁を求めることに最終承認を与え、兵力増派に向けて協議を行った。民間人という身分で平壌を訪問していたカーター元大統領から連絡が入ったのはそのときであった。カーターと会談を行った金日成は、北朝鮮が核計画を凍結し、追放予定であったＩＡＥＡの査察官を残留させることに同意したのである。米政府による制裁や米軍増派に向けた動きは中止され、七月には米朝間の協議が開始されて危機はひとまず回避された。

日本にとっての危機

北朝鮮はNPT脱退宣言など駆け引きを繰り広げる一方で、一九九三年五月末には能登半島沖の日本海に向けてミサイル、ノドン一号を発射した。日本国内で報道されたのは発射から一〇日あまり後に内閣官房副長官の石原信雄が記者団に明かしてからであった。石原は「射程は千キロで、大阪が入ります。核弾頭をつけて飛ばせば、広島の何百倍も強力な攻撃ができることになります」と、米情報機関などからもたらされた情報をあえて口にした。北朝鮮の核問題に対して「他人事」として関心が希薄な日本の世論に向けて、警鐘を鳴らす意図であった[10]。しかし宮沢政権末期の当時、日本の政界や世論の関心は、政治改革をめぐる政局の流動化に向けられ、この件はさほど注目されなかった。

一九九四年前半に北朝鮮の核開発をめぐる緊張がピークに達したとき、日本では四月八日に細川が退陣を表明した後、連立組み替えの思惑も重なってようやく同二八日に羽田《はた》政権が発足したものの、社会党の離脱で六月二五日には退陣。六月三〇日に村山政権発足と、政治的にきわめて不安定な状況がつづいていた。

このような政治の空白ともいうべき状況の中で、万が一、朝鮮半島で衝突が起き、アメリカが軍事行動を展開したとすれば、日本にとっての重大性は湾岸戦争の比ではなかったはずである。石油を中東に大きく依存しているとはいえ、湾岸戦争が多くの国民にとっては遥か遠い地での出来事だったのに比べ、朝鮮有事では日本は当事者といっても過言ではない。それは「朝鮮戦争に次いで、第二次世界大戦後の日本が直面した安全保障上の最大の危機」になりかねない事態であった。[11]

宮沢政権時から顕在化していた北朝鮮核危機であったが、日本において重大性が強く認識されることになった契機は、一九九四年二月の細川首相訪米であった。当時の報道では日米貿易摩擦をめぐる物別れに焦点があてられたが、実際には首脳会談の主要部分を北朝鮮危機が占めた。会談で細川は、北朝鮮の核開発を阻止するために日本は経済制裁について憲法の枠内で可能な限り応じるとした。クリントン大統領は日本から北朝鮮に向けて「巨額で非合法の円貨流出」がつづいており、核開発の資金になっているとして、送金を止めるために効果的な手を打つよう要請した。[12]

細川は帰国後の日記に、「米情報機関筋によれば、……今後6―18カ月のタイム・スパンで考えると、北が武力侵攻する可能性50％以上」「信じ難きことなり。われわれはみな極楽トンボなるか」と、事態の深刻さについて記している。[13]

細川の帰国翌日には、石原官房副長官が内閣官房の幹部を集めて「総理が、朝鮮半島情勢について具体的に研究して欲しいとおっしゃっている」と指示を下した。やがて後述のような検討作業を経て、「X：送金停止など経済制裁実施の日」「Y：海上臨検や海上阻止行動など経済制裁を有効なものとするための措置を開始する日」「Z：朝鮮半島で武力衝突が始まる日」など段階に応じて日本がとり得る手段とタイミングが、その法的問題点も含めて数枚のペーパーにまとめられ、細川の手元に届けられた[14]。

この間、細川は記者団に対して、核危機が対話で解決されることが望ましいが、経済制裁が発動された場合には関係各国と同調して対応できるよう、憲法の範囲内で関連法の改正を図るという意向を繰り返し示した。

水面下で有事対応の検討

アメリカからの強い要請もあって、日本政府内では北朝鮮に対して経済制裁が実施された場合、在日朝鮮人から北朝鮮への送金を止める手立てが検討された。しかし人権問題という側面があることに加え、第三国を経由した電子決済まですべてを把握するのは事実上困難だと考えられた。また厳重な取り締まりを実施した場合、抗議行動によって混乱が生じる可能性があることも懸念材料であった[15]。

日本にとってさらに深刻だったのは、危機が軍事衝突となった場合の対応であった。憲法の範囲内という制約の中でどこまで対米協力ができるのか、正面から問われることになったのである。政府内では関連法案を確認する作業が進められ、次のような問題点が浮き彫りとなった。

北朝鮮に対する海上封鎖が行われた場合、洋上での監視活動が必要になるが、そのためには自衛隊法の改正が必要になる。交戦海域近辺など戦闘に巻き込まれる可能性のある海域での検査は、違憲の疑いがある。また海上封鎖にあたる米軍艦船に対して、自衛隊が補給活動を行うことは可能なのかといった問題も検討が必要であった。

これら対米協力とは別に、仮に軍事衝突が発生した場合、北朝鮮が日本の原子力施設や在日米軍基地に対して特殊部隊による攻撃を行う可能性も想定された。この場合、もはや警察では対応できないが、自衛隊法では想定されていない事態である。この他にも何十万人という難民が朝鮮半島から日本に押し寄せてきた場合、その中に諜報《ちょうほう》関係者がいないか確認する「スクリーニング」を誰がどのような手続きで行うのか等々、検討すべき項目は膨大であった。

一九九三年秋には非公式に省庁横断的な会議が設けられ、これらの課題への対応が検討された。しかし政府は表向き、「情報は収集しているが、政府として公式に具体策の検討はしていない」としていた。具体的な対応策が表に出ると北朝鮮を刺激するという考慮に加え、連立与党最大勢力の社会党が伝統的に北朝鮮寄りの姿勢をとっており、「政府が北朝鮮を危険視するような対応を検討すれば、連立政権の枠組みが崩れかねない」（政府関係者）という事情もあった。(16)

結果的にこれらの対応策を具体化する前に危機は終息したが、危機が長引いたとして、寄り合い所帯の連立政権でこれら有事に対応する法改正がスムーズに進んだかどうか。細川首相は、有事に際して閣議決定が必要になった際、閣僚全員の署名が揃うか、揃わない場合にはどのような対応をとるべきかについて考えをめぐらせていたようである[17]。

揺れる連立政権

一九九四年四月八日に細川が辞意を表明した後、同じ非自民連立の枠組みで羽田政権が発足するまで三週間近くを要した。難航した最大の理由は、消費税と並んで進行中の北朝鮮核危機をめぐる対応であった。

社会党は、経済制裁は北朝鮮をいたずらに追い詰めるとして慎重で、新政権の基本政策に有事立法の拒否や武力行使への非協力を盛り込むよう主張した。逆に新生党の小沢は、危機管理体制の強化を強く主張していた。もっとも社会党とて反対一辺倒だったわけではなく、経済制裁への同調には、制裁案が国連安保理で可決され、正当性を得ることが必要だという主張であった。しかし常任理事国として安保理で拒否権を持つ中国の姿勢は明らかではなかった。

社会党と新生党は次期政権に向けた協議を重ねる一方で、舞台裏ではそれぞれが連立組み替えを模索していた。新生、公明は元副総理の渡辺美智雄を次期首相に担いで自民の一部と連携する動きを見せたが、有事に一致して対応できることが、そこでの鍵であった。

最終的に細川政権と同じ枠組みで羽田政権が発足するが、その直後に小沢の主導で社会党を除く与党が統一会派を結成した。それまで与党第一党であった社会党の影響力を削ぐねらいがあることは明白であった。これに憤慨した社会党は政権離脱を決定した。少数与党に陥った羽田政権は、結果としてわずか二ヵ月という短命に終わるが、それは第一次北朝鮮核危機の緊張が頂点に達した時期であった。

羽田政権の官房長官であった熊谷弘は、「官房長官として私の頭の中にあったのは北朝鮮危機だけだった」として、「現実の危機を前にして現行法でできる限り米国を支援しようと考えた。それには憲法解釈を変え、集団的自衛権の行使も考えざるを得ない」「集団的自衛権の行使で内閣がつぶれるなら構わないと覚悟した」と言う(18)。

羽田首相（左）と小沢新生党代表幹事（1994年4月）

一方で羽田孜《つとむ》首相は後年、危機の最中にも熊谷らの積極論に対して、「閣僚が表で言うと、国会審議がおかしくなってしまう。政局にしようとする連中もいるんだから」となだめ、「当時、複数の人から私にも「北朝鮮は和平を求めている」という情報があった」「（アメリカの姿勢から戦争になるかもという印象を受けましたか、という質問に対し）あんまりそんなではなかった」と、温度感の異なる認識を示している(19)。

小沢の影響下にある熊谷らが、有事をテコに自民分裂と連立組み替えを仕掛けようとしたのに対し、首相の羽田は社会党の与党復帰に期待をかけていた。

羽田は、「私が言っていたのは、いま北朝鮮に〝北風作戦〟をやると、どんどん追い込むことになる……政治が表に出ると追い込む結果になるので、あくまで閣僚は役所の立場でやってほしい、と」「我々（政治家）は近づかないようにしていた」[20]という。その中で石原官房副長官ら事務方では、「いざとなったら限時法（緊急時限立法）で対処するしかない」という認識が形成されていた[21]。

政界再編をめぐる駆け引きの一方、細川、羽田の非自民連立政権では政権と外務省との距離感も生じていた。外務省が懸念したのは、細川退陣後の新政権に社会党が残留する場合、有事対応や対米支援で内紛の火だねが持ち越されることであり、機密保持という観点から不安視する声もあった。当時の外務省幹部は、細川政権の閣僚による機密情報の扱いについて「正直言って、そこは危ないと思いました」と語り、漏洩《ろうえい》を恐れて重要な情報を政府首脳にあまり渡さなかったのかという質問に「そうですね」と率直である[22]。

連立与党内での安全保障議論を不安視した外務省は、野党であった自民党に水面下でアプローチを行う。安全保障に理解が深いと見られた橋本龍太郎政調会長に対して、斎藤邦彦外務事務次官が「構成する政党の数が多いと、なかなか集約ができない。むしろ野党の立場だけれども、自民党がまとまってくれれば、それによって収斂するのではないか」として、自民党に国会などを通じて議論をリードしてほしいと内々の打診を行った。これを受けて自民党幹部との間で定期的な会合が開かれることになった[23]。外務省幹部は「官邸には言えないような機密性の高い話も橋本さんなら言えるというのがあった」とあからさまに語り、一方の橋本は「その作業は日米安保共同宣言を総理になって行ったあとで、事務方に対して指示するときに〔論点整理などの面で〕ずいぶん役に立ったと思います」と振り返る。(24)

第3章　「自社さ」政権の模索——村山・橋本政権

村山首相の転換

羽田政権が行き詰まって退陣した後、新生党代表幹事の小沢一郎を中心とする連立与党は、自民党から元首相の海部俊樹を引き抜いて擁立し、国会での後継首相指名に臨んだ。これに対して自民党は社会党委員長の村山富市《とみいち》を首班に担ぐという手段に出た。自民党と社会党の一部では細川政権末期から、自社提携を目指す動きがつづいていた(1)。

首相指名の結果は自社さきがけによる村山首相の誕生であった。村山自身、自民党が村山に投票する決定を下したことを知らないまま本会議に臨んで議場で首相指名を受けたというから、本人も「びっくりした」と率直である(2)。

こうして一九九四年六月に村山政権は発足したが、その数日後にはナポリ・サミットであった。村山は国際経験の豊富な宮沢元首相にアドバイスを求めたところ、語学が一番の不安であることを察して「みんな英語ができるわけじゃない。コール〔独首相〕は英語ができないんだけど、それでも彼は自国のドイツ語でやっているん〔だ〕から、あなたも日本語でやればいい。それで大丈夫なんだ」と説き、村山の気持ちもほぐれたという。

ナポリでクリントンとの日米首脳会談に臨んだ村山は、「〔アメリカの報道では〕ソーシャリストが総理になったというので危惧しているようだけど、ちょっと私のことを、聞いてほしい。そう言って、兵隊に行ったことや〔漁師の六男として生まれ一四歳で父を亡くすなど〕生いたちの話をした。そして、平和と民主主義を守るために政治家になって社会党でやってきた」ことを語り、自身も苦学を重ねたクリントンは「いちばん聞きたい話を聞かせていただいた」と、これを印象深く受けとめたようである。[3]

村山首相にとって最初の関門となったのは、それにつづく国会での所信表明演説であった。社会党が反対してきた自衛隊と日米安保条約について、首相としての態度を表明しなくてはならない。七月一八日の所信表明演説において村山は「日米安全保障体制を堅持しつつ……必要最小限の防衛力整備を心がけてまいります」と述べ、さらに二日後の衆議院本会議では「専守防衛に徹し、自衛のための必要最小限度の実力組織である自衛隊は、憲法の認めるものである」と明言した。

結党以来、社会党の存在意義の一つともいえた日米安保や自衛隊への反対を、歯切れよく転換させた村山であったが、本来であれば党内で議論を行うべき一大事であった。しかし突然の首相就任でそのような時間的余裕はなく、村山個人の肩に重い決断がのしかかることになった。

党としては反対だが、閣僚である以上は内閣の方針を守るという考えもあったが、村山は「一閣僚ならともかく総理という立場に立って、そんなあいまいなことですむだろうかと思った」[4]。答弁の直前、自民党幹部に「総理、目が赤いじゃないですか。どうしたんですか」と問われた村山は、「いやなあ、ああでもない、こうでもないと考えていたら、昨晩はひとつも眠れんかったんだよ。しかし、最後はこのポストに座ったらしょうがないと思ってハラを決めた」と述べた[5]。達観しているようにも見えた村山であったが、「誠実なお方ですから、とてももつらそうでした。わずかな間に、ずいぶん痩せられました」（五十嵐広三《こうぞう》官房長官[6]）。

「北風と太陽」の譬《たと》えになぞらえるならば、非自民連立政権の下、小沢の剛腕という北風に反発した社会党は、自社さ政権で村山が首相に就くという陽光によって、戦後長くまとった安保政策の衣を脱ぎ去ることとなったのである。

しかし村山による方向転換は、それまでの社会党の主張からしてどう説明できるのか。国会ではこの点について、野党陣営から質問が繰り返されたが村山は、「社会党が存在せずに一方的にどんどん進められていったら……憲法も改正されたかもしれない」「そういう意味で果たしてきた社会党の運動の役割、成果というものは正当に評価されてもいいのではないか」との歴史的評価を示した[7]。

沖縄少女暴行事件と代理署名拒否

一九九五年九月四日、沖縄本島北部で買い物帰りの女子小学生が米海兵隊員ら三人に拉致され、強姦の上、負傷する事件が発生した。沖縄県警は米軍基地内に逃げ込んだ三人の身柄引き渡しを要求したが、米軍当局はこれに応じなかった。日米地位協定によって、米軍人とその家族が犯罪に関与した場合、その身柄は日本側が容疑事実を固めて起訴するまで、米軍当局が拘束すると定められている。結局、沖縄県警の捜査官が基地に出向き、米軍側が拘束した容疑者三人の取り調べにあたることになった。

本土復帰前から同様の事件が繰り返されてきた歴史があるだけに、少女暴行事件は沖縄で大きな衝撃をもって受けとめられた。その一つ、米軍統治下の一九五五年におきた「由美子ちゃん事件」では、沖縄本島中部の石川市（現・うるま市）で、六歳の幼稚園児が米軍人に性的暴行を加えられた上で惨殺された。犯人の米軍人は逮捕され、軍法会議で死刑判決が言い渡されたものの四五年間の重労働に減刑され、さらに米本国送還後には沙汰止みとなった。この事件に対する憤りは、翌年に本格化するアメリカによる強権的な土地接収に対する抵抗運動、「島ぐるみ闘争」につながったと言われる。九五年の少女暴行事件に際して沖縄の一定以上の年齢層は、ほぼ一様に「由美子ちゃん事件」を思い出したという。「事件を聞いた時には、戦後米軍がおこしたさまざまな事件が走馬灯のように頭を横切った。戦後の沖縄体験を、一挙にあぶり出すような事件であったと思う」（比屋根照夫《ひやねてるお》・琉球大学教授[8]）。

米政府関係者は「この種の事件が起きないように努力してきたつもりなのに。恥ずかしい思いで一杯だ」（モンデール駐日大使）と謝罪に追われた。一方で河野洋平外相は上京した大田昌秀知事に対し、「県民の気持ちは心から共有したい。政府も重要な問題と受けとめている」と言う一方で、大田が提起していた地位協定見直しに対して、「この問題で見直しうんぬんをいうのは、議論が先走りすぎている」と釘を刺した。門前払いをするかのような対応だと受けとめた大田は、同行した県幹部に「もうやる以外ないな」と漏らした(9)。基地使用に関わる代理署名の拒否に向けて、決意を固めた一言であった。

本土の米軍基地は旧日本軍の基地など国有地が多くを占めるのに対して、沖縄の軍用地は「銃剣とブルドーザー」と呼ばれた復帰前の米軍当局による力ずくの収用によるものなど民有地が多くを占め、中には契約に応じない地主もいた。その場合には米軍用地特措法によって知事が代理署名を行い、軍用地としての継続使用を可能にする。前述したように大田はナイ・レポートが「米軍一〇万人体制」を打ち出したことに危機感を強め、従来以上の強い異議申し立てとして、代理署名に応じられないことを村山政権首脳に伝えていた。そこに起きた少女暴行事件と日本政府の対応が、代理署名拒否に向けた決意を固めさせたのであった。

少女暴行事件と大田の代理署名拒否に直面した日米政府は、沖縄の基地の整理・縮小を検討する「沖縄特別行動委員会」（SACO）の設置を決めた。事態を鎮静化させるには、目に見えるような規模での沖縄の基地の縮小が欠かせないと判断されたのである。村山首相は大田知事の訴えを聞き、SACOによって基地の整理・縮小の道筋がついたと見た上で、同年一二月、代理署名を拒否する大田知事を相手取り、職務の執行命令を求める行政訴訟に踏み切った。しかし沖縄で米軍基地に使用されている土地の一部は翌年三月に使用期限切れを迎えることになっており、この時点ですでに間に合わない可能性が高いと見られた。次の橋本龍太郎政権にもつれ込むことになるこの問題は、日米安保体制を文字通り足元から揺さぶることになる。

戦後五〇年目の「歴史問題」

村山首相は、自衛隊や日米安保をめぐって歴史的な政策転換を迫られたばかりか、沖縄の基地問題や阪神・淡路大震災、地下鉄サリン事件など、歴代の自民党政権も直面しなかったような危機に次々と見舞われた。

内外の諸問題に翻弄されたかに見える村山政権だが、戦後五〇年の節目を迎える政権として、戦後政治が置き去りにしてきた課題に積極的に取り組んだのも確かである。村山は自衛隊や安保については「使命」だと考えて政策転換に踏み切るとともに、「この政権でなければ解決できない課題に取り組む決意をした」と語る[10]。それが被爆者援護法や水俣病の和解、そして戦争責任について明確に謝罪することであった。村山は戦後五〇年目の節目となる九五年の終戦記念日に際して「戦後五〇年に際しての談話」を発表し、これが「村山談話」として定着することになる。

戦争責任問題にけじめをつけるという発想は、終戦直後から存在した。皇族首相として終戦処理を担った東久邇稔彦《ひがしくになるひこ》は、敗戦直後の一九四五年八月二八日に「全国民総懺悔《ざんげ》」を提起し、この年一一月に開かれた帝国議会では「戦争責任に関する決議」が採択されたが、これは敗戦原因の追及に力点をおくとともに、「「軍閥官僚の専横」に追随策応した議員の「自粛自戒」を求める」ものにとどまった(11)。

その後、この問題は冷戦と自民党支配の下で封印されたとも言えるが、大きな転機となったのは細川政権であった。既述のように細川は歴代首相の中で初めて、「先の大戦」全般を対象に「侵略戦争」だと認めたのである。細川後継の羽田首相も翌年の戦後五〇年に際して、戦争責任について政府として明確にする方針を打ち出していたが、政権はわずか二ヵ月で崩壊する。

次の政権枠組みをめぐって各党が駆け引きを繰り広げる中、社会党とさきがけは政策協定を結び、重要政策として「歴史問題」に関する国会決議の採択に取り組むことを盛り込んだ。両党と小沢らとの話し合いは決裂し、自社さきがけ連立の村山政権が誕生することになるが、その過程で自民党もこの社会党とさきがけの政策協定に同意したのであった(12)。

このように村山政権発足以来の重要課題であった「歴史問題」であったが、国会決議を目指す作業は難航した。自民党内からは「謝罪決議」となることへの反対や、従軍慰安婦や台湾人元日本兵などに対する補償をめぐる日本の立場に悪影響を及ぼすことを懸念する意見も続出した。細川の発言に反発していた日本遺族会も、「謝罪決議」の阻止に向けて活発に動いた。一方、政策転換への批判に苦しむ社会党は、この問題で「社会党らしさ」をアピールする必要に迫られていた。

戦後50年の国会決議を読み上げる村山首相。後ろは土井たか子衆議院議長（1995年6月）

このように自社やそれぞれの支持団体がせめぎ合う中で、社会党が主張していた補償問題は切り離され、その一方で自民党が拒否感を示していた「侵略的行為」といった字句は、「世界の近代史上における数々の植民地支配や侵略的行為に思いをいたし」と、手を染めたのは日本だけではないという文脈で盛り込まれた。

かろうじてまとめられた決議案であったが、一九九五年六月九日の衆議院本会議における裁決には、全議員のうち半数近くが欠席した。国会決議は全会一致が原則となっているにもかかわらず、修正案が聞き入れられなかったとして最大野党の新進党（九四年、小沢を中心に新生党、民社党、公明党の一部などが合流して結成）が欠席したほか、与党からも大量の欠席者が出た。決議は採択されたとはいえ、賛成したのは全議員の半分に満たない二三〇人であった。議場にぽっかりと大きな空席があいた光景は、「けじめ」と呼ぶにはほど遠いものであった。

村山談話へ

こうした状況に対して「これではダメだ」と考える村山の意を汲む形で、内閣外政審議室長であった谷野《たにの》作太郎が学者や外務省関係者と、戦後五〇年目の八月一五日に際して首相が発表する談話の作成に取り組んだ。その過程では、最も端的に「侵略戦争」とすべきか、あるいは「侵略的行為」か「侵略行為」かといった点について慎重な検討が行われた。最後は村山自身が手を入れて完成した談話は、閣議決定を経た上で村山が記者会見で発表した(13)。

その核心部分は「わが国は、遠くない過去の一時期、国策を誤り、戦争への道を歩んで国民を存亡の危機に陥れ、植民地支配と侵略によって、多くの国々、とりわけアジア諸国の人々に対して多大の損害と苦痛を与えました。私は、未来に過ち無からしめんとするが故に、疑うべくもないこの歴史の事実を謙虚に受け止め、ここにあらためて痛切な反省の意を表し、心からのお詫びの気持ちを表明いたします」という部分である。

「植民地支配と侵略」について、「疑うべくもない歴史の事実」とした上で、「痛切な反省」と「心からのお詫び」を明言した談話は、「歴史問題」について厳しい対日態度をとる中国、韓国を含め多くの国から、概ね率直で踏みこんだものだとの評価を得た。村山は併せて米英、中国、韓国の首脳に親書を送り、村山談話について説明をした(14)。

村山は当初、談話について「閣議了解」とする方針であったが、村山政権下でも自民党出身の閣僚から日本の侵略行為を否定する発言が相次いだことから、より拘束力の強い「閣議決定」とした。しかし閣議決定とするには全閣僚の同意が必要になる。自民党内の取りまとめには総裁であった河野外相があたる一方、日本遺族会の会長でもあった橋本通産相に対しては、村山が直接確認をした。橋本からは、文案にあった「終戦」を「敗戦」に置き換えた方がよいだろうという点についてのみ指摘があり、そのように改められた(15)。

村山談話の内容について自民党からは不満も漏れたものの、正面からの批判は見られなかった。「もし、これを自民党が否定したら〔村山は〕辞めるだろう」ということが縛りとして効き、異論を抱える自民党の閣僚も「閣内にある限りは批判は避ける」（江藤隆美《たかみ》総務庁長官）姿勢をとった(16)。自民党が社会党の首相を担ぐという村山政権特有の構図が、歴史問題という保革の最も深い分断線を糊塗《こと》し、日本が戦後五〇年の「けじめ」として一つの声を発することを可能にしたのであった。

「村山談話」はその後、歴代政権が歴史問題について態度を表明する際に依って立つ基本線となった。戦後五〇年という一度しかない節目と、自社連立という半ば偶発的に誕生した異色の政権が交差したことが生み出した「村山談話」であった。

自らの政権の積極的な意義を戦後処理に見出す村山は、この他にも被爆者援護法の制定や、従軍慰安婦を救済するための「女性のためのアジア平和国民基金」の創設などに取り組んだ。後者については、かつて日本軍に従軍させられた元慰安婦に「一時金」を送るために民間基金を設け、首相名で「おわび」の手紙を出すという取り組みであった。そこには「社会党らしさ」を見せることで党勢挽回を図る意図も込められていたが、同時に社会党にとっては、戦争被害者に対する国家補償という年来の主張をとり下げるものでもあった。

「政策通」の挑戦――橋本龍太郎政権

一九九六年一月、村山は退陣を表明し、後継には自社さ連立の枠組みは維持したまま最大与党・自民党総裁の橋本龍太郎が就いた。橋本は政策の細部にまで精通する一方、竹下登が「怒る、威張る、拗《す》ねるが橋本になければ、とっくの昔に総理になっていた」と評したように、「政策通の一匹狼」というのが政界での評価であった。

首相に就任した橋本は、難題となっていた不良債権処理や本格的な構造改革に取り組むことを強調する一方、沖縄の基地問題について「長年にわたる沖縄の方々の悲しみ、苦しみに最大限の心を配った解決を図る」ことを表明した。

このとき沖縄の基地問題は、待ったなしの情勢となっていた。大田知事の代理署名拒否に対して国は行政訴訟を起こし、三月下旬の高裁判決で沖縄県は敗訴したものの上告した。翌四月には沖縄本島中部・読谷村《よみたんそん》の米軍施設、楚辺《そべ》通信所の一部で軍用地としての提供を拒否していた地主との契約が切れ、ついに米軍基地の不法占拠状態が発生した。沖縄県が法廷を舞台に徹底抗戦を貫けば、翌年には嘉手納《かでな》基地の一部などでさらに多くの契約が切れ、深刻な状態になることは必至であった。政府内では軍用地強制使用のための特別立法案も浮上したが、社民党（九六年一月に社会党から改称）の反発は強く、強行すれば政権基盤が崩れかねなかった。

その一方で四月にはクリントン訪日が予定されていた。日米両政府ではこの訪日に合わせて冷戦後の日米同盟について再定義を行い、共同声明として広く内外に打ち出す段取りを整えていた。政府レベルでの日米安保再定義と、安保を足元で支える役割を負わされてきた沖縄からの異議申し立てが同時進行する緊迫した局面となっていたのである。

橋本首相は就任早々の一月下旬、大田知事を招いて会談の場を設けた。会談を前に橋本は、琉球大学教授時代の大田が米軍統治について書いた『沖縄の帝王　高等弁務官』を手にとる。本土では報道されなかった事実が多かったという感想をもった橋本は、「「よく調べておられましたね」という話から〔会談を〕始めたのです」(17)。橋本は佐藤栄作を政治の師として仰いだが、沖縄の過重な基地の負担は、佐藤による沖縄返還が後に残した課題だという意識もあったであろう。

首相就任翌月の一九九六年二月、橋本は米西海岸のサンタモニカでクリントン大統領との首脳会談に臨んだ。クリントンが前年秋の訪日を延期しており、本来はクリントン訪日となるべきところであったが、橋本が早期の日米首脳会談を望んだのである。橋本は通産相として貿易摩擦をめぐって米側と激しくやり合っており、米側の一部にあった橋本に対する警戒感を拭っておきたいという意図であった。

この会談で橋本は普天間基地の返還に言及する。橋本自身によれば会談も半ばを過ぎた頃、クリントンが「橋本、本当にそれだけか。もっとあるんじゃないのか」と水を向けたので咄嗟《とっさ》の判断として、「普天間基地の返還という問題がある」「あなたがそれを聞いてくれたから、私はここでテーブルに載せる」「軍事的に見て簡単な問題でないことは私も分かっている。だから、こういう声が現地にあるということを今日は紹介するに止めたい」(18)。それが橋本の発言の大意であった。はっきりと返還を求めたとは言いがたい内容で、会談後に橋本の真意を訝《いぶか》る米側に対して、日本側出席者が「橋本総理が口に出したということは大変な決意の上で、これは返せということだ」と補ったほどであった(19)。

それにもかかわらず、翌三月には米側から「普天間飛行場を返すとすればどのような条件を満たす必要があるのか議論したい」との提案がなされ、四月一二日に『日本経済新聞』の「スクープ」を受ける形で橋本首相とモンデール米大使が「五〜七年以内の普天間全面返還」を発表するという急展開を見せる。一連の流れは、米側のイニシアチブをうかがわせる。

サンタモニカでの首脳会談前、日本側の外務・防衛当局者はこぞって、首脳会談で橋本が普天間返還を提起することに反対であった。実現可能性の低い要求を首脳会談で持ち出すのはリスクが大きすぎるという意見である。一方で橋本の下には親しい財界人から大田の意向も踏まえた進言として「「普天間」という言葉が出るだけでも〔沖縄の雰囲気は〕変わる」という声も寄せられていた[20]。

首脳会談では普天間返還に言及すべきか否か、逡巡する橋本の背中をクリントンが押した形であった。同席していた折田《おりた》正樹外務省北米局長は次のように言う。「〔橋本の〕緊張が緩んだときに、沖縄について率直にお話し頂けますか、とクリントンが水を向けたのです。総理はちょっとびくっとしたような表情をされた後」、普天間に言及した。その様子を見た折田は「普天間の固有名詞が出たときに〔クリントンに〕驚いた様子はなかったこと、通常知らないことが出てくると〔大統領は〕控えている同席者のほうに確認するような仕草をするのですがそれはなかったことから、私は、普天間が持ち出されるかもしれないということが大統領にまで上がっていたと判断しました[21]」。

演出された劇的な返還合意

日本側の外務・防衛官僚が一様に慎重であったのに対して、米側では知日派のアーミテージ元国防次官補やマンスフィールド元駐日大使が、少女暴行事件を受けた沖縄の基地負担削減の象徴として、普天間返還が必要だと主張していた。ペリー国防長官はアーミテージらの問題提起に耳を傾けたが、一方で軍は在沖海兵隊の拠点である普天間返還に強く反発していた。(22) クリントンが橋本の発言を促した背景には、日本側としての意思を事務レベルではなく直接、首相に確かめたいという意図があったのであろう。

この首脳会談の後、米側では老朽化している上に市街地に囲まれ危険な普天間基地を返還することによって沖縄情勢を鎮静化し、併せて朝鮮半島核危機以来、懸案になっていた日本の有事即応態勢の整備を促す方が得策だという判断が強まっていく。台湾海峡をめぐる危機が生じたことも、米政府に日米同盟安定化の必要を一層強く認識させた。(23)

三月に米側が普天間返還を検討する旨、日本側に伝えて以降、日米の限られた当局者の間で返還の具体化が検討された。四月八日には橋本首相が古川貞二郎《ていじろう》官房副長官などに返還決定を伝え、米側が条件として、①在日米軍の機能を低下させない、②普天間飛行場の移転費用は日本側が負担する、③日本周辺有事の際、米軍が日本国内の民間空港を使用できるよう態勢整備をするという三点を提示し、それを大筋で受け入れたことを明らかにした。

「首相は普天間と有事問題をパッケージ・ディール（一括交渉）したのだな」と出席者の一人は受けとめた。(24) 第一次北朝鮮核危機に際して具体的な対米協力を可能にする法的枠組みが不在であることが露呈して以降、外交安保当局者の間ではその対応が最重要課題となっていた。③はその後、日本周辺における有事の際の日米協力を定めた新ガイドラインの策定という形で具体化する。また米側関係者は「なんと言っても、膨大な費用のかかる代替施設の建設をのんだ橋本首相の大胆な政治的な決断が大きかった」と言う。橋本によれば「費用負担は条約上も当然日本側が負うべきものだから、改めて議論はしていない」。そして返還合意発表の間際、大蔵省主計局長に電話をすると「これ〔移転費用〕は日本側がかぶる。相当巨額になる。ぼくは財政再建路線をとっている張本人だが、これはほかの問題とは別だ」と押し通した[25]。

この普天間返還合意は、「日米安保再定義」とセットで考えられていた。四月のクリントン来日に先立ってペリー国防長官との間で普天間返還を劇的な形で発表して沖縄の負担軽減を視覚化し、その上で橋本・クリントンによる「日米安保再定義」へとつなげることが企図されていたのである。

ところが前述のように新聞の「スクープ」を受けて急遽、橋本・モンデールによる発表に切り替えられた。発表された内容は、①五〜七年以内の普天間基地全面返還、②既存の沖縄の米軍基地内に「ヘリポート」を新設する、③嘉手納基地に追加施設を整備し、普天間の機能の一部を移す、④普天間の空中給油機を岩国基地（山口県）に移し、岩国からはハリアー攻撃機を米本土に移すというものであった。普天間返還は困難だと見られていただけに、この合意発表は橋本首相による鮮やかな政治主導の成果だと受けとめられた。橋本は側近に向かって「取り返したぞ、普天間を」と高揚感を隠さなかった[26]。

しかし、代替施設が未定のままというこの合意が孕む本質的な危うさは、時をおかずして露呈する。劇的な発表に沸く世論を横目に「〔この合意を〕自分なら受諾できなかった。実行に責任が持てない」[27]と漏らした安全保障に関わる日本政府高官の言葉が、その後の混迷を暗示することになる。

台湾海峡危機

その頃、沖縄に隣接する台湾で危機が発生していた。台湾初となる一九九六年三月の総統直接選挙に対し、これを台湾独立に向けた重大な一歩と見なす中国が軍事力を用いた威嚇を展開したのである。台湾では大陸で共産党に敗れて台湾に移った国民党政権の下で強権的な統治が敷かれてきたが、一九八〇年代以降徐々に民主化が進められ、一九九六年の直接選挙による総統選出は、台湾民主化の総仕上げであった。

中国は「台湾独立」を明確に掲げる野党・民主進歩党の候補のみならず、中国が「隠れ独立派」と疑う李登輝《りとうき》総統を牽制しようと、選挙を前に台湾近海にミサイルを撃ち込むなど軍事的な威嚇を行った。これに対してアメリカは、空母二隻を派遣して中国の動きを牽制した。アメリカが台湾近海に複数の空母を派遣したのは、一九五〇年代の台湾海峡危機以来のことであった。

この事態に対して橋本首相は、「非常に強い懸念を持っている」と繰り返し表明したが、中国政府は、台湾は中国の内政問題であり、外国が介入すべきではないという姿勢であった。中国の行動を日本同様に強く批判したのはアメリカ、カナダ、豪州などにとどまり、他のアジア諸国は表だった批判を避けた。(28)

橋本が台湾海峡危機に際して最も神経を使ったのは、万が一の軍事衝突の際、台湾からどうやって邦人を救出するかであった。(29)いわば危機管理の発想である。だがそれは、仮に米中が軍事衝突に至ったとき、日本はどのような立場をとるのか、日米安保はどう機能するのかといった問題の核心に触れることを避ける対応でもあった。日本政府高官は、その問題が「総理の頭の中にはあったかもしれない。しかし、それは政府としては議論はしなかったし、何らの決定もしなかった」と言う。(30)

日米間でもこの点についての協議は特段行われず、国会では横須賀を母港とする米空母の台湾海峡派遣が日米安保条約の事前協議の対象になるのではないかという質問に対し、政府は米空母の動きは通常訓練による監視活動であり、事前協議の対象外だと回答した。(31)台湾問題をめぐる日米間の協議は中国の激しい反発を招きかねず、また社民党との連立を揺るがす可能性も高かった。

日米安保は中国にどう向き合うのかという問いは、冷戦下においてはソ連という日米中にとって共通の脅威を前に表面化することはなかった。しかしソ連なき冷戦後になると、中国との関係は微妙な緊張を孕む気配を見せ始めていた。その嚆矢《こうし》となった九六年の危機であった。

日米安保再定義とガイドライン見直し

こうしてクリントン米大統領は一九九六年四月一六日に来日し、橋本首相とともに冷戦後の日米同盟の意義を掲げた共同声明に署名し、発表した。「日米安保再定義」である。声明は日米安全保障協力が二一世紀においてもアジア太平洋の安定と繁栄の基礎であることを約一年にわたる検討の結果、再確認したと宣言した。それとともに米軍がこの地域に一〇万人の前方展開兵力を維持すること、日米間の具体的な防衛協力強化のため、ガイドライン（「日米防衛協力のための指針」）の見直しを始めることを確認し、沖縄の負担軽減のためにSACOでの作業を結実させる決意を盛り込んだ。また中国が「肯定的かつ建設的な役割」を果たすことを期待し、併せてASEAN地域フォーラム（ARF）や北東アジアにおける安全保障に関する多国間の協力枠組みを発展させるため、日米が協力することも盛り込んだ。

「日米安保再定義」という大枠を具体的に支えるのが、ガイドライン見直しであった。日米の具体的な防衛協力を定めるガイドラインは、一九七八年に策定されていた。この旧ガイドラインは日本が攻撃された場合を念頭においたのに対し、新ガイドラインの策定にあたっては、日本を取り巻く地域における「周辺事態」に際しての日米協力に力点がおかれた。具体的には、「周辺事態」に際しての米軍による日本の民間空港・港湾の使用、米軍に対する後方支援などである。

前任者の村山首相は日米安保や自衛隊の容認に踏み切ったものの、具体的な日米軍事協力であるガイドライン見直しには消極的であった。これに対して橋本はガイドライン見直しに踏みこんだ。ただし橋本が併せて事務方に指示したのが「順番を間違えないように」、すなわちSACOなど沖縄の基地負担軽減を先に進め、つづいて新ガイドラインという順番であった。[32] 橋本には新ガイドラインを通じた日米軍事協力強化に対する批判を、普天間返還など沖縄の基地負担軽減を目立たせることでかわすねらいがあったといえよう。実際、連立を組む社民やさきがけには、普天間返還の条件としてなら有事法制を容認するという空気が強かった。[33]

このような日米同盟強化策に敏感に反応したのが中国であり、その関心の焦点は「周辺事態」に台湾が含まれるか否かであった。この点について日本政府の公式見解は、「周辺事態の概念は地理的なものではなく、事態の性質に着目したもの」であったが、自民党幹事長の加藤紘一《こういち》が台湾は「含まれない」との見解を示すと、梶山静六官房長官が「特定の地域を限定しない方が抑止力になる」と述べるなど足並みは乱れた。結局九七年九月に橋本が訪中した際、新ガイドラインが特定の事態を想定したものではないこと、「台湾の独立を支持しないというのが日本の一貫した立場だ」と述べて事態の鎮静化を図った。[34]

普天間、迷走の始まり

一方の普天間基地返還である。普天間返還合意が「スクープ」として報道された一九九六年四月一二日、橋本首相は大田知事に電話をして「普天間を返させることになった。ただ、それには代替施設が必要になるかもしれない。県も協力してほしい」と告げた。青天の霹靂の大田が「返していただくのは大変有り難いです。ただ代替施設ということになると、重要なことですので三役会議などに図《ママ》る手続きが必要です。私の一存だけでは……」と言い淀むと橋本は、「自分だって、連立を組んでいるが、自分の一存で決断した」と畳みかけ、官邸に駆けつけたモンデールとの会談を終えると再び大田に電話をした。橋本は「ここにモンデール大使がいらっしゃるので、代わります。知事は米国留学の経験もあるし、英語もうまいから、お礼を言って下さい」とモンデールに受話器を渡し、大田は謝意を伝えた。[35]

今日に至る問題の発端となるこのときのやり取りについて、当事者の証言は錯綜している。橋本は同席していたモンデールから大田に対して「県内移設を前提として」と明言したと言う。しかし「県内移設」という返還合意を台無しにしかねない一番の難題について、一国の首相を脇において大使が知事に告げるだろうか。橋本の証言はむしろ、「県内移設」に焦点があたることを忌避する橋本の心理を反映しているように見える。一方で大田は具体性を欠いた「代替施設」に不安を覚えて「中身がわかりませんし、協力といっても、できることとできないことがあります」と橋本に述べた。そしてモンデールは後年、「私たちは沖縄、辺

普天間基地返還合意を発表する橋本首相。右はモンデール米駐日大使（1996年４月）

野古《のこ》だとは言っていない……基地をどこに配置するのかを決めるのは日本でなければならない」と証言している[36]。橋本との電話を終えた大田はじめ沖縄県幹部は、普天間の機能の一部は岩国、そして岩国からは米本土へと順送りに負担を分かち合うなら、なんとか県民の理解も得られるのではないかと受けとめた[37]。

しかしその後、代替施設は当初の「ヘリポート」から突如浮上した海上メガフロート案を経て、滑走路二本に港湾設備まで備えた現行の辺野古新基地建設へと変質・膨張して今に至る。この代替施設の過剰な膨張こそ、今に至る普天間・辺野古問題混迷の核心なのである[38]。仮に普天間返還合意の時点で、現行案のような巨大な基地を県内に代替施設として新設すると発表されていたならば、それを普天間の「返還」だと受けとめた沖縄県民はほぼ皆無であったろう。米側には本土復帰前の一九六〇年代に、辺野古を埋め立て、現在の新基地計画とほぼ同様の基地を建設する案があったことが知られている。返還合意時に防衛庁防衛局長として米側と折衝にあたった秋山昌廣《まさひろ》は、「海兵隊は六〇年代の計画を実現させるチャンスと捉えて、埋め立ても含め十分大きな施設に持ち込みたいと考えたのではないでしょうか。そもそも米政府は、海兵隊の了解を十分に取り付けないまま、橋本首相との返還合意に踏み切ったように見えます」と言う[39]。

当の橋本は、返還合意時には代替施設の場所や規模について具体的な案を持ち合わせていなかったことを認めている。「〔代替施設について〕これは無理、という一言で終わりそうなものまで含め、いろいろな考えがあった」「(日経新聞の「スクープ」によって)数日の差で、そういうものを整とんする時間を失ってしまった」「早まった報道は、時に国益を損ねることもある」「本当に悔いがある。あの数日は」と述懐する橋本だが、実際には日経新聞の「スクープ」は劇的な演出効果を意図した官邸からのリークによるものであったことはほぼ間違いない。つまり橋本にとって「スクープ」は決して想定外ではなかった[40]。沖縄県内には「県内移設」が条件とされたため、返還が三〇年以上実現していない米軍施設がいくつもある。政策通で鳴らした橋本がそれを知らないはずがない。それが「数日程度」で整理されるような容易な問題ではないことも熟知していたはずである。結論からいえば、スクープを端緒に「電撃的な返還合意」を演出し、そのサプライズの勢いで大田から協力を引き出す。それが橋本の胸中に秘められた戦略であった。橋本にとって普天間返還合意は、代替施設という一番の難題に目をつぶった賭けなのであった。

こうして返還合意発表後になって、代替施設の具体的な検討が開始されることになった。防衛庁は嘉手納基地への統合を推進したが、すでに町域の九割近くが米軍基地で占められている嘉手納町の反発は強く、米空軍・海兵隊も同居に難色を示した。

そこに九六年九月、突如浮上したのが海上に浮かぶメガフロート案である。海に浮かぶ代替施設という妙案と、橋本がこれに乗ったことに外務省高官も「驚きでした」(折田正樹北米局長)という唐突さであった[41]。設置場所としては沖縄本島北部、名護《なご》市の東海岸が有力地とされた。メガフロート案をめぐっては日米の鉄鋼業界やマリコン(特に海洋土木を得意とするゼネコン)業者が千載一遇の商機と見て動いていたが、橋本にとっては不必要になれば撤去できる、すなわち「基地転がし」という批判を避けがたい普天間の「県内移設」ではなく、本来の意味での「返還」に近づけることができるという点が、同案に飛びついた最大の理由ではないかと思われる。橋本は代替施設について、口癖のように「撤去可能、撤去可能」と口にしていたという[42]。

この海上施設の受け入れをめぐって賛否が沸騰した名護市では九七年一二月に市民投票が行われ、受け入れ反対が過半数を占めた。開票直後にはこの結果に従う意向を示していた保守派の比嘉鉄也《ひがてつや》名護市長だったが、振興策を期待する地元経済界や官邸からの説得工作に応じて受け入れ賛成、しかし混乱の責任をとって市長を辞任するという行動に出る。シングル・イシューの市民投票と違って市長選挙なら後継者が勝てるという目算もあった。

官邸は大田に対して、比嘉市長に同調して受け入れを表明することを強く求めたが、大田は最終的にそれを拒んだ。大田に見切りをつけた政府・自民党は来る知事選挙で財界出身の稲嶺恵一《いなみねけいいち》を擁立し、大田県政との協議を断って「県政不況」とのキャンペーンを展開する。九八年一一月の知事選は大田落選、稲嶺の勝利となったが、それは参院選敗北ですでに橋本が退陣した後のことであった。

特措法改正と「沖縄政局」

普天間返還が代替施設をめぐって迷走を始めた傍らで、大田は一九九六年九月、基地の継続使用に関わる手続きである公告・縦覧に応じることを表明した。その前月に代理署名拒否をめぐって最高裁で県敗訴の判決が出たことを受けたものであったが、もう一つの理由が駐留軍用地特措法を改正して県知事から代理署名の権限そのものを取り上げるという中央政界での動きに対する危機感であった。改正を防ぐには応諾もやむなしとの判断である。

こうして大田は応諾に転じたものの、米軍用地を強制使用するには次に県収用委員会での審理が必要となる。この時点で嘉手納基地の一部などについては、翌年五月の契約切れに間に合わせるのは困難だと見られた。すでに使用権が切れた読谷村の楚辺通信所の一部では、国による「不法占拠状態」が発生していた。このまま五月を迎えれば、より大規模に「不法占拠状態」が発生し、足元から日米安保体制が揺らぎかねなかった。

一九九七年四月三日、政府は特措法改正について閣議決定を行い衆議院に提出したが、それは自社さ連立の枠組みを揺さぶり、「沖縄政局」と呼ばれることになった。前年九六年一一月に発足した第二次橋本政権では、社民、さきがけは閣外協力に転じていた。そして自民党内は加藤紘一幹事長を筆頭とする「自社さ連立派」と、小沢一郎率いる最大野党・新進党との連携を志向する梶山官房長官、中曽根元首相ら「保保派」に分かれ、橋本首相は両者のバランスに乗る形で政権を維持していた。

このような中で提出された特措法改正は、社民党にとってハードルの高い難題であった。村山政権下で日米安保・自衛隊の容認に舵を切ったものの、今度はより強権的に見える基地の強制使用である。土井たか子党首は特措法改正の前に、緊急使用の申し立てという手段もあるし、海兵隊削減をアメリカと協議する取り組みも不十分だと主張した。加藤ら「自社さ派」の自民党執行部は、米軍兵力の削減について米政府から一定の言質をとれば特措法改正について社民党の賛成が得られると見た。しかし米側の姿勢は硬かった。

これに対して「保保派」の中曽根元首相は、内輪の会合で「改正案の採決は二十票、三十票差ではだめだ。大連合につながるような構想を進めている」「創価学会の秋谷《あきや》（栄之助）会長にも話をつけた」と、特措法改正を「保保」連合に道筋をつける格好の機会だと位置づけていた。[43]

折しも橋本首相の訪米が迫っていた。橋本は同年二月に来日したオルブライト米国務長官に対して、「日米安保条約を断固守り、基地使用を無法状態にすることはない。たとえ政権の組み替えや首相の交代があっても」と「決意」を語っていた。[44] 結局、自民党執行部は社民党への説得を断念する一方、自民・新進の合意案がまとまった。結果として特措法改正は、連立与党の社民党が反対、野党の新進党が賛成し、衆議院で九割、参議院で八割という圧倒的多数で四月下旬に成立した。沖縄問題などをめぐる自民党の対応に不信感を募らせた社民党は翌九八年六月、連立離脱に踏み切る。第一次北朝鮮核危機の収束を背景に発足した自社さ連立政権は、沖縄の基地問題を背景の一つとして瓦解に至ったのである。

ユーラシア外交の提起

普天間返還合意とともに、橋本外交が世に強い印象を与えたのが、エリツィン大統領率いるロシアとの関係改善であった。橋本が対露関係を念頭においた「ユーラシア外交」を提唱したのは、一九九七年七月の経済同友会での演説であった。この演説で橋本は、日本が「ユーラシア外交」として、ロシアや中央アジア、コーカサスからなる「シルクロード地域」に向けて外交地平をダイナミックに広げるとした上で、アジア、太平洋に大きな影響を及ぼす日米中露の中で、日露関係が一番立ち後れているとして、日露間での「信頼、相互利益、長期的な視点」の三原則を打ち出した。演説のうち前者の「シルクロード外交」が、この時期、世界的に注目されたカスピ海沿岸の石油・天然ガスに着目した資源外交の色彩を有していたのに対して、後者の日米中露を念頭においた日露関係改善という言い回しの本意は、中国台頭を睨んだ日露の戦略的提携であった。前者が主として通産省主導であったのに対して、後者は外務省、そして橋本自身の関心であった。「中国を牽制するためにロシアをアジアのプレーヤーのなかに入らせるということを本気になって考えていました」という橋本は、一九九七年前後にＮＡＴＯ（北大西洋条約機構）の東方拡大をめぐってロシアが孤立したのを見て「このチャンスしかないなと。それで実は私は「ユーラシア外交」というものを頭のなかで考えはじめました」と語る。(45)

外務省きってのロシア通として橋本を支えた丹波實《たんばみのる》（外務審議官からロシア大使）は、このタイミングを「〔ロシアは〕西へ行けば拡大しつつあるＮＡＴＯにぶつかり、南へ行けばイスラム原理主義にぶつかり、北へは物理的に行けず、行けるのは東のみという心理状況にあると、私たちは読んでいた」と語る。(46) さらにロシアに影響力のある米独首脳、特にコール独首相に対して、対日関係改善を進めるようエリツィンへの説得を依頼した。ドイツにとっては、対露支援をドイツだけでは抱えきれないという思惑もあった。(47)

こうした多面的なアプローチの結果、橋本の演説から数日後、ロシア側から日露の非公式首脳会談を行おうという提案がなされ、東京とモスクワの中間にあたるクラスノヤルスクで開催されることになった。

「二〇〇〇年までに平和条約を」

一九九七年一一月一日、橋本首相一行は小雨交じりのクラスノヤルスクに降り立った。突貫工事で設えられた高級別荘地のサウナ周辺では、汚れた雪を取り除いた後にきれいな雪を敷き、さらに乾いた葉をまくという演出ぶりであった。ここで両首脳が個人的な関係を深めるという設定であったが、会談は思わぬ展開を見せた。橋本とエリツィンは二〇〇〇年までに日露が平和条約を締結するよう全力を尽くすことで合意したのである。戦後長らく暗礁に乗り上げていた問題を、残り三年あまりで突破しようという大胆な合意であった。

到着当日の午後、エニセイ川を下る船に乗るとエリツィン大統領は、「歴史的な会談にしたい」と述べて自ら北方領土問題を持ち出し、「クリールの問題〔北方領土問題〕」を自分が大統領である間に片付けたいと表明したのである。(48) この会談で橋本は産業育成や人材養成など、経済分野における対露協力を「カード」として次々に提示したが、エリツィンの心を強く動かしたのは、中国台頭を睨んだ日露の戦略的提携という提案であったと見てよかろう。

橋本によれば、「ロシアが「戦略的パートナー」としてアジアで欲しいんだ。ロシアだって日本と組んで損はないはずだ。だとすれば、この問題は平和条約なしでできないし、国境線の確定しない平和条約なんてないだろう」という議論を橋本がしたところ、「彼〔エリツィン〕もそれにスーッと乗ってきました。そして本当に彼のほうから「二〇〇〇年」と言いだしました」。橋本が「国境線をキチッと引いてくれてから、実質的にいつどうするというのはまた後の相談だ」と説いたところ、エリツィンは「「お互いにそれに向かってやろう。二〇〇〇年まで」と言ってパッと手を出したから、こちらも握手しました」という急展開で

あった。(49)

橋本に同行した日本外務省首脳が「メガトン級」と驚いたクラスノヤルスクでの合意によって、停滞していた日露関係に改善に向けた大きなダイナミズムが生まれた。橋本とエリツィンの次回会談は、翌年春に日本で行われることになったが、その間にも一九九八年二月には小渕恵三《おぶちけいぞう》外相が「二〇〇〇年まで」の実現に向けた協議のため訪露してエリツィンとも会談し、ロシア向けとして初めてとなる金融支援の供与に踏み切った。苦境にあるエリツィンの経済改革を側面から支援する姿勢を明確にしたものであった。エリツィン訪日後には同年秋に橋本首相が訪露して「モスクワ宣言」を発表し、平和条約の骨格を盛り込むというのが日本側の描いたシナリオであった。(50)

川奈会談での日本側提案

そして一九九八年四月中旬、エリツィンは伊豆の川奈《かわな》にやってきた。クラスノヤルスクではロシア側がきれいな雪を敷いたが、川奈では桜が散らぬようにと、会場となったホテルが桜の下にドライアイスを敷く心配りを見せた。

ここで日本側は北方領土について、「川奈提案」と呼ばれる提案を行った。日本政府は具体的な内容を明らかにしていないが、それは四島の北に国境線を引くが、当面はロシアの施政を認めるものであったと言われる。領土の帰属に代わって、国境線の画定を前面に出したアプローチであった。これに加えて橋本は、「北方領土のところだけ言ったのでは、お前〔エリツィン〕の方も受けづらいだろう。だから樺太との間だって〔画定した国境線を〕引いたっていいいんだよ」と述べた。[51] 日本政府は戦前領有していたサハリンの南半分について、放棄したものの最終的な帰属は未定だという立場をとっているが、橋本はこれもカードとして使おうとしたのである。

これに対してエリツィンは「強く閃くものがあったのか、「インチェレスノ〔興味深い〕」と二度繰り返した」と、会談に同席した丹波實外務審議官は情景を再現する。しかしヤストルジェムスキー報道官が「「これはゴンゴン（香港）方式だ。モスクワにもって帰ると言ってください」と大統領を必死に抑えていた」「あのときヤストルジェムスキー報道官が隣りにいなかったならば、あるいは違った展開になっていたのではないか、と今でも思うことがある。惜しい瞬間であった」（丹波）。[52]

日本側はエリツィンの大胆な言動に期待をかけたともいえるが、エリツィンは国内で議会と対立を深めていたほか、健康不安がささやかれていた。その言動についても「予測困難性」が強まっていると見られ、川奈でもロシア側随行員は「「〔大統領が〕次には何を言いだすのか」との不安そうな顔つき」という状態であった。[53]

橋本政権下の対露外交は、奔放なエリツィン大統領をターゲットにして、中国台頭を睨んだ日露の戦略的提携や橋本首相との個人的な関係をテコに、エリツィンの大胆な決断を期待するというアプローチであった。五月半ばには英国バーミンガムでＧ８首脳会議が開かれ、この際開かれた日露首脳会談でエリツィンは橋本に対し、川奈提案について検討中であり、回答はこの年秋に予定されていた橋本訪露の際に行われるだろうと説明した。その際エリツィンは、「日本側提案を正しく理解した、我々は正しい道を歩んでいる」と積極的な姿勢を見せていた。(54)

しかし、この年七月の参議院選挙における自民党大敗を受けて橋本は退陣し、訪露は幻に終わった。だが退陣後も橋本は政府特使などとして対露関係に関与をつづけた。特使としての橋本に対し、エリツィンは電話会談でこう語りかけたという。「リュウ、リュウ、なぜ総理を辞めてしまったのか。オレとリュウで、クリル〔北方領土〕の問題を解決しようと思っていたのに、運命は別の方向に向かってしまったね」。(55)

第4章 「自自公」と安保体制の強化——小渕・森政権

小渕政権発足とテポドン・ショック

橋本首相は財政再建と、深刻化していた金融危機への対応のどちらを優先するかで揺れ、一九九八年七月の参議院選挙で大敗して退陣した。後を継ぐことになったのは小渕恵三であったが、社民とさきがけは連立を離脱しており、小渕政権は一九九八年七月三〇日、自民単独政権として発足した。大敗の結果、自民は参議院で過半数を大きく割り込んでいたことに加え、橋本と同じ竹下派である小渕の首相就任は、党内派閥力学の所産と見なされて国民的人気も今ひとつであった。

しかし小渕には、それを挽回する粘り強さがあったというべきであろう。そもそも群馬県の小渕の選挙区は、中選挙区時代には福田赳夫、中曽根康弘など大物揃いで、小渕は自らを「ビルの谷間のしがないラーメン屋」と自嘲していた。そのような物腰の低い新首相は、目についた新聞の投書の主など一般市民も含めて自ら次々と電話をかけて「小渕です」と相手を驚かせ、「ブッチホン」（小渕の「渕」と「プッシュホン」を掛け合わせた造語）を流行語にする。

小渕は大学院生だった一九六三年に世界旅行に出かけ、アメリカではロバート・ケネディ司法長官に手紙を書いて面会を実現した。日本から来た名もない青年に二〇分も時間を割き、「これからは君らの時代だ。また政治家になったらワシントンで会おう」と温かく語りかけたケネディの対応に、小渕は「将来、どんな地位になろうとも誰とでも会おう」と心に誓い、それが「ブッチホン」の一つの原点になったともいう。[1] また国内のマスコミが米紙による「冷めたピザ」との小渕評を輸入して盛んにはやし立てると、逆に記者団にピザを配るユーモア、そしてしたたかさを兼ね備えた小渕であった。

小渕政権発足から一ヵ月あまりの一九九八年八月三一日、北朝鮮が予告なしに弾道ミサイル、テポドンを発射し、一段目は日本海、二段目は日本列島を越えて太平洋側に落下した。大気圏外とはいえ事前通告なしに日本上空を横切るミサイルの発射に、日本の世論は驚愕するとともに強く反発したが、北朝鮮は「人工衛星打ち上げだった」と主張した。

日本政府は強く抗議し、発射翌日の九月一日には国交正常化交渉の全面的中断や食糧援助中止のほか、北朝鮮が核開発を放棄する代わりに軽水炉を提供する枠組みであるKEDO（朝鮮半島エネルギー開発機構）への協力も凍結すると発表した。さらにミサイルの脅威に対抗するため、日本独自の偵察衛星を打ち上げることや、戦域ミサイル防衛（TMD）構想の日米共同研究推進、新ガイドライン関連法の整備を急ぐことも決めた。いずれもかつてであれば軍事色が強いとして野党や世論の反発を招いたかもしれないが、「テポドン・ショック」にはそのような雰囲気を吹き飛ばす衝撃があった。湾岸戦争では「国際貢献」「対米協力」が課題となったが、今度は日本自体への直接的な脅威と見える出来事であった。

しかし日本が強硬策で突出すれば、対北朝鮮で連携する日米韓の足並みが乱れかねないという難しさがあった。日本が制裁として打ち出したＫＥＤＯへの資金拠出凍結であったが、米韓の要請に応じ、一〇月下旬に協力を再開した。アメリカなどからすれば、ＫＥＤＯこそが北朝鮮の核開発を食い止める切り札だが、日本からすればテポドンに晒《さら》されたのに対北朝鮮協力かという割り切れなさが残った。

「自自」から「自自公」へ

橋本・クリントンによる日米安保再定義で盛り込まれた「日米防衛協力のための指針（ガイドライン）」の改定について、アメリカは朝鮮半島情勢の緊迫化を懸念し、再三にわたって早期成立を日本側に求めていた。しかし自社さ連立政権下では、土井たか子党首の下で社民党の反対が強かった。橋本政権は一九九八年四月に同法案を国会に提出したものの、社民党の反対を押し切った見切り発車で、実質的審議は行われないままとなっていた。

小渕政権は前述のように自民単独で出発したが、参議院で過半数を割ったままでは法案を成立させることができず、いずれ政権運営は行き詰まる。危機感を募らせた野中広務《ひろむ》官房長官らは、まず小沢一郎が新進党を解体して結成した自由党、さらに公明党を連立相手と見定め、自自、そして自自公連立を実現するが、それはガイドライン関連法案の成立と表裏を成すものであった。

野中は小沢と接触する一方で、公明党の取り込みを画策する。しかし公明党は当時、結党以来一度も自民党と組んだことはなく、直近では新進党に合流して総選挙で自民党と対決した。自民党は公明党と創価学会の関係を「政教分離に反する」と執拗《しつよう》に攻撃していたこともあり、自公連立は難しいと見られていた。

野中の接触に対して公明党は、「「昨日まで野党と与党に分かれておったものが、コロッと変わって与党になるというような器用な技は、うちにはできないよ。やはり、真ん中に座布団を置いて、その座布団をクッションにしていくという形を踏まなくてはできないよ」という話をしてくれました」（野中）。その「座布団」が自由党だったのである。

「やっぱり、俺が小沢さんに頭を下げて、そして小沢さんに連立に加わってもらって、それを座布団にして公明党に来てもらう、という方法以外に公明党が乗ってくれる道はない」と腹を固めた野中は、それまで「悪魔」と呼んできた小沢に対して「ひれ伏してでも」と連立を呼びかけた(2)。

まず一九九九年一月に、自民党の自由党との連立が発足した。自民党との連立協議で小沢は、副大臣ポストの創設などと並んで、国連総会や安保理で決議が行われ国連軍が結成された場合には、これに自衛隊も積極的に参加することなど安保政策の刷新を求めた。湾岸戦争後に小沢調査会を立ち上げた小沢は、自自連立に際して、かねてからの持論を提起したのであった。自民党は小沢の提案をほぼ丸呑みして連立を発足させたが、それはそのままでは小選挙区制度の下、次の総選挙で存続すらおぼつかない小沢自由党の足元を見透かしたからだとも評された。力関係からして、それらが実現するかは自民党次第というわけである。

ガイドライン関連法案と「自自公体制」

一九九九年五月二四日、ガイドライン関連法案が参議院で可決され、成立した。賛成は自民・自由の連立与党、それにこの時点では連立には加わっていなかった公明党である。自民党はこの法案に公明党の賛成を取り付けようと、水面下で折衝を重ねていた。最終的に自自公で合意が得られなかった自衛隊による船舶検査活動については法案から削除し、別途法案を作成することとなった。

一方、この局面で野党第一党となっていた民主党は、議員の間で安保や憲法観に隔たりがあり、党内調整に苦慮した。公明党内には民主党との連携を志向する動きもあったが、民主党が党内調整で身動きがとれない間に、自自公が固まってしまった形であった。結局、民主党は独自の修正案を提出し、これが否決されたことを受けて法案の一部にのみ賛成という姿勢をとった。

ここで鍵となったのは、言うまでもなく公明党である。平和主義志向の強い創価学会を支持母体とする公明党内には、政策の近さを考えれば民主党と組むべきだという意見も強かったが、結局自自の側についた。公明党首脳からすれば、この法案は日米同盟を維持するにはある程度必要だという判断に加え、党内合意のとれない民主党に見切りをつけたこと、さらには新進党として創価学会と労組双方の支援を受けられた前回の総選挙と異なり、小選挙区での厳しい戦いが予期される中、自民党との選挙協力に期待した結果であった[3]。政教分離をめぐって自民党から執拗な攻撃を受けたことも、自民と対立しつづけるリスクを想起させたであろう[4]。

ガイドライン関連法の成立を受けて小渕首相は、自自公が「特に安全保障について考え方を一致させ、新しい安全保障体制を作り上げた実績は非常に大きい」と成果を誇り、これを「自自公体制」の出現と見なす新聞もあった[5]。

確かに自社五五年体制の崩壊後、次々に出現した連立の組み合わせを安全保障政策という観点から見たとき、「普通の国」論者の小沢が主導しつつ社会党が最大与党という細川政権、この問題をめぐる与党の整合性を強めようとした結果、社会党の離脱を招いて短命に終わった羽田政権、五五年体制下の対立構図を封印して成立した自社さきがけの村山・橋本政権と、いずれも不安定さを内包した枠組みがつづいていた。それらと比較すれば「自自公体制」は安全保障という国政の中核を成す問題について、一定の安定した基盤を提供すると見えるものであった。

小渕政権はこの後、自自公協力の枠組みで改正住民基本台帳法や日の丸を国旗、君が代を国歌と定める国旗・国歌法など、それまで賛否が分かれ先送りされてきた法案を、次々に可決、成立させた。自民党総裁選に出馬した際、「凡人」小渕に対して「変人」と言われた小泉純一郎は、小渕をこう評した。「一番先鋭的な野党をつぶして協力させ、党内も総主流派体制にして、自分の基盤を着々と強化していく」「だから私は「並みの凡人じゃない」と言っている。私は変人と言われているが、とてもできないね[6]」。

この間、民主党は金融危機をめぐって自民党に対案を丸呑みさせるという攻勢もあった一方で、国旗・国歌法案では合意がとれずに党議拘束を外した上、裁決では保守系と旧社会党系の議員が割れた。細川・羽田政権以来、非自民勢力の結集にとって、安全保障やこの種の国家観をめぐる問題は鬼門となった観があった。

「周辺事態」をめぐる混乱

日米安保再定義からガイドライン関連法成立にかけて、一つの焦点として浮上してきたのがその地理的な「範囲」という問題であった。そもそも一九六〇年に改定された現行の日米安保条約では、在日米軍が行動する対象について、日本防衛とともに「極東における国際の平和及び安全」としている。当時の国会ではこの「極東」について、政府はその範囲をおおよそフィリピン以北、台湾、韓国を含むと答弁していた。

これに対して九六年の日米安保再定義では「アジア太平洋」という語句が使われ、ガイドライン関連法では「周辺事態」が用いられた。周辺事態とは「我が国周辺の地域における我が国の平和及び安全に重大な影響を与える事態」とされ、ガイドライン関連法はその際の日米軍事協力を定めたのである。

問題は、果たして周辺事態が日米安保条約の枠内なのか、あるいはそれを越えるのかという点であった。枠内だとすれば、周辺事態は基本的には日米安保条約が念頭におく「極東」に限定される。これに対して周辺事態は地理的概念ではなく、事態の性質によるのだという考えに立てば、日本が関与すべき対象は極東を越えて広がることになる。

当初、ガイドライン関連法案の策定は後者の考えに基づいて進められた。その中心であった外務省北米局審議官の田中均《ひとし》は、安保条約に「『極東』という言葉があるがゆえに、ともすれば、日本の安全保障政策の上でも、これが厳格な地理的概念として考えられるきらいがあった」「しかしながら、主体的な日本の安全保障政策として考えてみた時に、いつまでもこの『極東』概念に縛られる理由は全くない」として、ガイドライン見直しを機に、自衛隊が邦人救出や船舶検査などで極東を越えて活動できる仕組みを目指した(7)。

この方向性に対して、アメリカは米軍の負担軽減になると歓迎し、防衛庁も自主防衛や発言権拡大の観点から賛同した。しかしこれに歯止めをかけたのが、外務省条約局長に就いた竹内行夫《ゆきお》であった。竹内は「ガイドライン見直しの目的は安保条約の効果的な運用だ。田中のように自衛隊の活動範囲を広げることは、日米安保の実質的な見直しとなってしまう」と、外務事務次官の柳井俊二などを説得した。

激しい論争の末、法案策定は竹内の主張に沿って行われることで決着した。田中の主張に沿った法案では、国会で過去の答弁との整合性を追及され、成立は困難だというのが外務省首脳の判断であった。もっとも歯止めをかけた竹内とて、田中の主張を全否定したのではなかった。そこまで大幅に安保政策を変更するには、国民的議論と合意が必要であり、政治家の関与がないままに官僚だけで決めてよいのかという問題意識であった。

小渕首相もまた、外務省、防衛庁の幹部を官邸に呼び出し、「私が今やろうとしていることは、日米安保条約の効果的運用であって、安保条約の枠の外での協力は意図していない。そういうことは国民的議論を経てからやるべきである」と注意した。(8) この「範囲」の問題は、その後も安全保障政策をめぐる議論で焦点として浮上することになる。

韓国との和解

小渕首相は有識者らを動員して大がかりな政策構想を策定し、その中で地理的・文化的にも近い中国、韓国との関係を「外交」にとどまらない「隣交」と位置づけた。(9) 曲がりなりにもそれが実現したのが金大中《キムデジュン》大統領と進めた日韓和解であったといえよう。

小渕首相（右）と、訪日した金大中韓国大統領（1998年10月）

金大中は韓国情報機関によって東京から拉致され、殺害されかけた金大中事件（一九七三年）など、波乱と曲折を経て一九九八年二月に大統領に就任し、対日関係改善に強い意欲を示した。金は日本に対して過去の清算を求める一方、韓国側も平和憲法など戦後日本の肯定的な面を見るべきだと説き、それまで韓国で禁止されていた映画や歌謡曲など日本文化の解禁についても積極的な姿勢を見せた。「私は韓国と日本が不幸な過去の出来事を整理し、真心からの未来のパートナーとして生まれ変わるきっかけをつくりたかった。両国の二〇世紀の歴史に刻まれた怨恨《えんこん》と傷口を二一世紀にまで引きずることはできなかった」（金大中自伝）[10]。またアジア通貨危機の直撃を受けていた韓国にとって日本の経済的協力が不可欠であり、積極的な対北朝鮮政策を展開する上でも日本の同意を得ておくことは重要であった。

一九九八年一〇月、金大中が国賓として来日し、小渕と発表した日韓共同宣言は、歴史的和解として両国関係の大きな節目となった。小渕にもこれを歴史的な会談にしたいという意気込みは強かった。共同声明について、日本外務省には村山談話を引用すればよいとの考えも強かったが、小渕は「引用ではなく、自分の口から韓国国民に対して言う形にしたい」と指示した。(11)「お詫び」についてのポイントは、村山談話の表現を踏襲《とうしゅう》しつつも対象を韓国と明記し、かつ初めて文章化したことであった。金がここで明確な「お詫び」があれば、これ以上この問題を引きずることはしないと強調していたことも、日本側にとっては重要であった。

こうして来日した金大中大統領は、宮中晩餐会で「過去」には一切触れず、一方で経済危機に陥った韓国に対する日本の支援に謝意を示した。「日本の国民が天皇を尊敬しているだけに、微妙な過去の問題はその場に持ち出さないのがよいように思えた。天皇の前での攻撃的な言辞は、日本国民に侮辱感を抱かせることにもなりかねなかった。反応は非常によかった」（金大中自伝）(12)。金は訪日前には、韓国国内の抵抗を押し切って、それまでの「日王」に代わって、公式に「天皇」の呼称を使うことに踏み切っていた。金は日本と深い関わりを持つだけに、「どうすれば日本人が好意的な反応を示すかを知っている」（韓国紙記者）ともいえよう。(13)

晩餐《ばんさん》後の歓談で、天皇は金にこう語りかけたという。「「平安京に都を定めた桓武《かんむ》天皇の生母は百済《くだら》からの渡来人だったといいます」／私は、天皇がそのような話をしようとは、まったく予想していなかった。天皇は謙虚で、歴史に関して識見に富んでいた」（金大中自伝[14]）。

美智子皇后との会話がつづく。「大統領には、長い苦難の歳月を送られたというのに、非常に穏健な哲学と強い信仰と希望を失わない生活を送っておられるようです」。これに対して金は「過分なお言葉です……日本にも、坂本龍馬という人物がいました。彼は、ご存じのように浪人であり、何の出世や成功もできずに死にました。しかし、彼は明治維新最大の功労者として、のちに貴族になり総理になったほかの人物よりも日本の国民が尊敬する、そんな人物になりました。正しく生きた人間は絶対に失敗しないということは、日本の歴史の中にも、教訓として表れています」[15]。皇居での夕べは、金に深い印象を与えたに違いあるまい。またそこで交わされた会話も、日韓が外国というにはあまりに近く、「隣交」の間柄であることを象徴するかのようであった。

晩餐会終了後、金は日本語で「小渕さん、あなたは徳がありますから頑張れますよ」と励まし、小渕は「僕はいちばんダウンしている頃だったこともあって、非常に感激した」と語る[16]。

「二〇世紀のことは二〇世紀で」

翌日の首脳会談では、金大統領が「（今後）韓国からは、過去の歴史について持ち出すことはないようにしたい。政府・与党にあっては、自分が責任を持ちたい」との決意を示し、あわせて日本側にも同様の対応を求めた。これに対して小渕首相は「不信がまた不信を呼ぶ悪循環を断ち切らなければならない」として賛意を示し、その後の記者会見では自ら「責任ある立場の方々が、その発言において政府の立場を十分に尊重いただけると確信している」と日本側の失言にクギを刺した[17]。また経済危機にある韓国に対して、日本輸出入銀行による三〇億ドルの融資など経済支援を行うことも決まった。

金は訪日の総仕上げとしてNHKが中継する中、国会で演説を行い、韓国の民主化を「奇跡は、奇跡的に訪れるものではありません」と語って平和的政権交代の定着を誇り、あわせて戦後日本の歩みを高く評価して日韓関係の未来志向を強調した。演説を聞いた中曽根元首相は、「大統領の苦難に満ちた経歴と、二十世紀のことは二十世紀で終わりにしたいという気持ちが（演説を）素直に受け入れさせた。両国の民主主義はここまで成熟した。国交正常化当初は考えもできなかったことだ」と述べた。戦後史を熟知した当事者としての率直な感慨であろう。

一方で同じ金の演説に対して、「四百年も前の豊臣秀吉の朝鮮出兵にまで触れたのには驚いた。それでは、元寇で先兵になったのはだれなのかという議論になる〔当時、モンゴルの支配下におかれた高麗を指す〕……条約で終わったものを共同宣言という文書で謝罪すれば、次の大統領でまた繰り返される可能性がある」（安倍晋三衆議院議員）と、懐疑的な若い世代もいた[18]。

それでも小渕外交のブレインであった武見敬三《たけみけいぞう》外務政務次官の「自民党の中でさまざまな議論をしていく過程で感じるのは、着実に歴史認識についての大勢は政府のラインの中で収れんしてきていることだ。〔問題発言をする政治家が〕21世紀に世論を主導するような立場になりうるとはとても思わない。その点は非常に楽観している」という展望が、この時点の雰囲気を示していた。[19]二〇世紀の終わりという歴史の節目にあって、大きく動いたと見えた日韓和解の局面であった。

江沢民訪日と歴史問題

金大統領訪日の翌月一一月、江沢民《こうたくみん》中国国家主席が来日した。もともと江訪日は、この年の夏に予定されていたものであった。それが中国国内で発生した大雨による水害への対応を優先せざるを得ないとして延期となっていた。

江沢民は一九九七年七月に英国からの香港返還を果たし、九八年六月には訪中したクリントンから台湾に関する「三つのノー（No）」を引き出した（台湾独立、「一つの中国、一つの台湾」、台湾の国際機関加盟の三つに「ノー」。ただしこれは文書化されず、米側はあわせてアメリカによる台湾への武器供給などを内容とする台湾関係法にも言及してバランスをとった）。中国はアジア通貨危機に際しても人民元を切り下げない姿勢を維持し、アメリカなどから賞賛を受けていた。

中国からすれば江訪日はこのような対主要国外交の一環というだけでなく、日中平和友好条約締結から二〇周年、かつ中国国家主席による史上初の訪日でもあった。中国側はこの節目の訪日に合わせて、日中共同声明(一九七二年)、日中平和友好条約(一九七八年)につづく「第三の文書」の作成を提案するなど強い意気込みを見せた。しかし日本側は「第三の文書」には消極的であった。新たな文書作成となると、歴史認識や台湾といった微妙な問題に焦点があたることが避けられない。また中国側は台湾についてクリントン並みの「三つのノー」を表明するよう求めたが、日本側は難色を示していた。[20]

このような温度差に加え、江訪日が結果として金大中訪日の後になったことが影響した。それまで日中の外交当局間では、江来日時の共同宣言において、歴史問題に関しては日本側が「村山談話」を再確認することで大筋合意ができていた。しかし日韓共同宣言で「お詫び」が文章化されると、中国は同様の対応を求めるようになった。しかし文書化はしないという日本側の姿勢は硬かった。歴史問題については国交正常化時の日中共同声明で触れており、また九二年の天皇訪中で区切りをつけたはずだというのが日本側の認識であった。加えて金大統領が今回で歴史問題に区切りをつけるとした点も、中国とは異なると捉えられた。結局、「お詫び」については小渕が会談の際に口頭で表明することになった。

すれ違いの背景

こうした中で一一月二五日に江主席が来日し、翌日、小渕首相との会談に臨んだ。江は冒頭から「(歴史問題について)「すでに十分に議論したから必要ない」という見解には反対だ。歴史というのは、話せば話すほど未来が開ける」などと二五分にわたって弁を振るった。会談に同席した野中官房長官は、感情を高ぶらせた江の目が潤んでいることに気づいたという。これに対して小渕は、江が「独演会」を終え一息ついたところで立ち上がり、「主席、お話はそれだけですか」と言うとそのまま表情を変えずに深々と頭を下げ、謝罪をして見せた。[21]

江はこの後の宮中晩餐会での答辞でも、「われわれはこの痛ましい歴史の教訓を永遠に酌み取らなければなりません」と述べた。これがテレビ中継されたこともあって、日本国内では江が歴史問題ばかりを取りあげるとして違和感が広がることになった。江はその後、中国の文豪・魯迅《ろじん》が学んだ東北大学を訪れ、魯迅の恩師の孫と対面するなど日中交流の歴史に光をあてる演出も行ったが、日本世論の印象を変えるには至らなかった。

江がここまで歴史問題を強調したのはなぜか。日本側から「三つのノー」を引き出せなかったことなど台湾問題についての不満、「一回の会談で何回も感情の波が上下する」という江の個性、また当時の中国指導部は米中関係の安定に自信を深めており、日本の比重が相対的に軽くなっていたことも作用したであろう。[22]

だが根本には、やはり江に日本の「歴史認識」に対する不信感があったには違いあるまい。

江は九五年に日本で刊行され、中国共産党の幹部向けに翻訳された『大東亜戦争の総括』という書籍を目にして危機感を深めたという。この本は細川首相が九三年に、日中戦争以降の戦争について「侵略戦争であり、間違った戦争であった」と明言したことに反発した自民党の国会議員一〇五人が党内に「歴史・検討委員会」を結成し、右派の論客を招いて勉強会を重ね、その成果を出版したもので、『南京大虐殺』の虚構」「敗戦亡国史観を衝く」といった論考も掲載されていた。

この本に橋本龍太郎、森喜朗《よしろう》といった実力者が名を連ねているのを見た江は、一部の少数派ではなく日本の主流がこのような考えなのだという認識を強めた。江は訪日前、中国の在外大使らを集めた会議で、「日本国内には、軍国主義思想に洗脳された者がまだいる……我々は警鐘を鳴らすべきである」と演説し、中国の日本研究者が、「日本が軍国主義に戻る恐れは現状ではありません」と報告しても、受け付けなくなっていたともいう[23]。細川発言に反発した自民党内の歴史観が江の強硬姿勢を誘発し、それが今度は日本国内で中国への反発を引き起こすという連鎖であった。

歴史問題ばかりが焦点であったかに見える江訪日であったが、共同宣言にあわせて三三の協力分野を挙げ、また両国指導者が毎年交互に相互訪問することや、ホットラインの開設も打ち出された。これら多岐にわたる日中協力の合意は、小渕政権下におけるアジア地域統合進展の重要な基盤となる。

史上初の日中韓サミット

前年に発生したアジア通貨危機は、一九九八年に入っても沈静化の兆しを見せなかった。構造調整を重視するIMF（国際通貨基金）の処方箋に基づいた急速な金融引き締め策もあって、今度は金融機能が不全に陥って各国の経済活動は低迷していた。

その最中の九八年八月、この年のASEAN首脳会議ホスト国であったベトナムが、同会議に日中韓を招く方針を打ち出した。経済危機克服のため、経済的影響力の大きい日中韓の参加が必要だという判断であった。こうして一二月にハノイで開催された同会議にはASEAN首脳に加え、小渕首相、金大統領、胡錦濤《こきんとう》国家副主席が出席した。この場で小渕はアジア各国支援のため、円借款《しゃっかん》を柱として三〇〇億ドルの資金枠を用意する「新宮沢構想」（最初に構想を公表した宮沢喜一蔵相の名が冠された）の早期具体化を表明し、胡はASEANと日中韓の金融当局者による会合を、そして金は東アジアの将来構想に向けて有識者による「東アジア・ビジョン・グループ」の設置を提案した。またASEANに日中韓の首脳が加わるASEAN＋3の定例化が合意された。

翌九九年一一月にマニラで開かれたASEAN＋3首脳会合では、初めてASEAN＋3としての共同声明が発表されたほか、小渕首相の呼びかけで、金大統領、朱鎔基《しゅようき》首相との三者による日中韓首脳会談が開かれた。地理的には隣接する日中韓だが、国交が樹立されたのは日韓一九六五年、日中一九七二年、そして中韓一九九二年と比較的新しい。ここでようやく史上初の日中韓首脳会談が実現したのであった。

しかし北東アジアの有力三ヵ国がわざわざ参集するとなると、疑念を引き起こしかねない。その点、ASEAN+3は欧米が参加しない一方で日中韓首脳が集まる唯一の国際会議である。小渕首相は自ら「ASEANに場所を借りるようで申し訳ないが、このチャンスを逃す手はない」と会談実現に動き、不信を招かないように米政府への連絡も怠らなかった[24]。

ただ中国にとって日中韓会談は、自国が後ろ盾となっている北朝鮮を疎外する面を持つ。日本が会談で北朝鮮の弾道ミサイル問題を取りあげようとしたのに対して、中国は事前に政治・安全保障問題を避けるように要求し、最終的に韓国が調整してようやく朝食会という形で実現した。会談の席上、小渕は会談の定例化を提案したが、朱は返答を避け、中国側は記者会見でも「主に食事をしたのであって、会議ではない」と説明した[25]。

アジア支援と「人間の安全保障」

「人間の安全保障」とは、一九九四年に国連開発計画(UNDP)が示したもので、人間の生存や尊厳を貧困や災害から守るため、従来の国家中心の安全保障から個々の人間にも焦点をあてようという考えである。日本の首相で国際舞台においてこれに最初に言及したのは村山首相であったが(一九九五年一〇月の国連総会における演説で言及)、それをアジア通貨危機を機に日本外交の前面に押し出したのが小渕首相であった[26]。

　小渕は、前述のハノイにおけるASEAN首脳会議（一九九八年一二月）で行った政策演説で、「人間の尊厳に立脚した平和と繁栄の世紀」の実現を目指し、「アジアの再生」「人間の安全保障の実現」「知的対話の促進」の三分野で努力することを打ち出した。

　一見、総花的にも見える内容だが、それは小渕が属する自民党経世会（竹下派）による対アジア政策の集大成であったといえよう。すなわち、「平和と繁栄」は、小渕が師と仰ぐ竹下登が首相として一九八七年の日本・ASEAN首脳会議で表明した「平和と繁栄へのニュー・パートナーシップ」を踏襲したものであり、重点として挙げた分野は橋本前首相が提起したものであった。小渕はそこに「人間の安全保障」を付け加えたのであり、その実現のために国連に基金を設置することを提唱し、日本が五億円を拠出することを表明した[27]。

　小渕はこれに先立つ同年五月、外相として東南アジアを歴訪した際、経済危機を乗り越える鍵として「社会的弱者への思いやり」を挙げた。また同じく外相として、一般市民に広範な被害を及ぼす対人地雷の禁止条約調印にも踏み切っているが、これは日本防衛に支障が出ると主張する外務省や防衛庁を押し切った上での判断であった。「人間の安全保障」は、このような小渕の関心の延長線上にあったといえよう。

　この後、竹下派との権力闘争に執念を燃やした小泉首相の登場もあって、竹下派の系譜に連なる首相は途絶えるが、旺盛《おうせい》な支援でアジア経済を下支えする一方、各種枠組みの構築に関与し、そこに「人間の安全保障」という理念を込めた小渕政権下のアジア政策は、冷戦後の日本におけるアジア外交の一つの頂点を成すものであったように思われる。

しかしそれは、低迷していたとはいえ日本経済が依然としてGDP（国内総生産）で中国の約四倍という圧倒的な規模を有していたからこそ、とり得た施策でもあった。

アジア通貨危機をめぐってアメリカは、橋本政権期には財政再建路線からの転換を渋ったとして日本側に対して苛立ちを募らせたこともあり、「日本経済の脆弱さが回復の足を引っ張り、アジアの経済不安を増大させた」（ルービン財務長官）と見なしがちであった[28]。これに対して日本側当局者は、日本は通貨危機を通じて先進国で図抜けた支援を行ったのであり（対アジア支援のコミットメント総額四四〇億ドル）、「タイへの支援額がゼロで、インドネシアと韓国に対して第2線準備として総計80億ドルのコミットしかしていない米国から「日本はアジア通貨危機で苦しむ諸国からの輸入を増やすことができないため問題だ」と非難される筋合いではない」と不快感を隠さなかった[29]。

また日本の大蔵省が中心となってIMFのアジア版ともいうべきアジア通貨基金（AMF）を創設しようという動きもあったが、性急さや準備不足に加え、アメリカが消極的だったこともあって実現には至らなかった[30]。アジアをめぐる日米間の協調と齟齬が、複雑に交差した局面であった。

沖縄サミットの決定

二〇〇〇年のサミットは日本が開催地にあたっていた。それまで東京でのみ開かれていたサミットを、それ以外で開催しようという気運の中、有力視されたのは大阪、そして福岡＝宮崎の共催案であった。しかし、九九年四月に小渕首相が下したのは首脳会談の沖縄開催、外相、蔵相会談はそれぞれ宮崎、福岡という裁定であった。記者発表の三〇分前、稲嶺恵一沖縄県知事に自ら電話した小渕は、「今度、サミットを沖縄でやってもらうことになります」と告げ、知事は「ぼうぜんとした」。事前の外務省・警察庁による調査報告では、沖縄は第三グループに過ぎなかった。台風接近の恐れや反基地運動、サミット開催中に米軍による不測の事故が起きる可能性など、事務方の懸念材料は少なくなかった。しかし小渕と野中官房長官は、水面下で早くから沖縄での開催可能性を探っていた。

小渕と沖縄の縁は深い。学生時代には休みのたびに復帰前の沖縄に通い、その実情を肌身で感じていた。「沖縄戦で自決した大田実海軍少将が残した「沖縄県民かく戦えり、県民に対し後世特別の御高配を賜らんことを」という言葉もあるし、僕自身学生時代からの思いもある。沖縄というのが忘れられた地になってはいけない」と漏らしていた小渕は、サミット開催決定後、「沖縄で開くことを決めたのは間違いではなかった」と感極まって涙したこともあった(31)。

しかし同時に、沖縄開催には小渕なりの計算が込められていた。海上基地の受け入れ拒否を明確にした大田知事の三選を阻止すべく自民党が擁立し、当選した稲嶺は、普天間基地の代替施設について「軍民共用、一五年の期限付き」を条件に沖縄本島北部に移設することを公約に掲げたが、沖縄での賛否は割れていた。そこに国際的な大イベントを開催することは、沖縄の反基地運動を抑制する効果があると見られた。一方で、サミットで来訪する主要国首脳や各国メディアは、沖縄の米軍基地の実情を目の当たりにし、それは日本政府にとって沖縄の基地負担軽減に向けた対米圧力にもなりうると考えられた。

実際にアメリカは最後までサミットの沖縄開催に難色を示した。巨大な基地が狭隘な島を圧迫する様相が世界の目に晒されるのだから当然ともいえよう。実際にブレア英首相は、サミット期間中の米英首脳会談でクリントンに対して、「多くの沖縄の人々が基地に反対しているのなら、撤退したらどうか」と発言している。[32] 開催地発表の当日未明になっても米側に拒否され、小渕は「あー」と両こぶしを握りしめて悔しがり、いったんは沖縄開催を諦めかけた。土壇場でこれを覆したのがフォーリー駐日米大使で、クリントンに本土復帰後初となる米大統領の沖縄訪問の歴史的意義などを熱心に説いて承諾を得た。クリントンも各種の懸案について「言ったことはやる」という小渕に信をおき、「オブチが決めたことなら従おう」と、側近の慎重論を抑えたという。[33]

小渕は沖縄サミットを「歴史的なものにしたい」と繰り返し、そこに途上国の声を反映させることに注力した。小渕は過密な日程を縫ってカンボジアやラオスなど、日本の首相が久しく訪れていなかった国々を訪問し、二〇〇〇年二月には日本の首相として大平正芳首相以来、二一年ぶりにＵＮＣＴＡＤ（国連貿易開発会議）総会で演説をし、途上国の声を沖縄サミットに生かしたいと述べた。大平は一九七九年に初めて日本でサミットを開催し（東京サミット）、その際、議長国として日本が南北問題の「架け橋」となることを目指した。小渕は、同様の役割を沖縄サミットで果たそうとしたのであろう。

このような小渕のアジアや途上国に対する関心は、沖縄を経由して育まれた面がある。学生としてたびたび来訪する小渕を沖縄で世話したのは、地元経済界の重鎮であり、参議院議員などを歴任した稲嶺一郎であった。かつて満鉄に勤務していた稲嶺は、インドネシア独立などに関与して広く東南アジアに人脈を持ち、「ミスターＡＳＥＡＮ」と称された。学生時代に世界旅行に出かけた小渕は、「沖縄から台湾、インドネシアと、日本がかつて独立運動を助けた国では戦争中の志士というか、そういう人が残っていて、みんな稲嶺一郎さんの知り合いだった。そういう人を頼っていったわけだ[34]」。その稲嶺の子息が稲嶺恵一知事である。

小渕はさらにインドや韓国、インドネシアの首脳に沖縄サミットへの参加を打診し、いずれも前向きの感触を得た。しかし招待に難色を示したのが中国であった。中国にしてみれば日本の政治大国化に力を貸す必要はない。またサミットよりも自国が安保理常任理事国である国連の方に国際的正統性があるという立場であり、沖縄サミットで人権問題が議論の俎《そ》上《じょう》に載ることにも警戒的であった。中国抜きでアジア各国が参加すると、沖縄サミットは中国包囲網という色彩を帯びかねない。結局サミットのメンバー国以外を招く構想は沙汰止みとなった。

振り返ってみれば九八年の江沢民訪日の際、小渕は歴史問題をめぐる江の厳しい対日批判に向き合うことを余儀なくされた。小渕が自らのアジア外交の集大成である沖縄サミットに中国を招こうとしたのは、江の厳しい対日認識に対して、異なる日本像が確固として存在することを示す、小渕なりの応答という意味があったのかもしれない。(35)

突然の退陣と死去

二〇〇〇年四月一日深夜、小渕首相は身体の不調を訴えて脳梗塞《こうそく》と診断され、そのまま入院した。その数時間前まで、小渕は連立を離脱するという小沢と二人だけの会談を行っていた。小渕は昏睡状態に陥り、急遽参集した自民党首脳は自民党幹事長の森喜朗を後継とすることを決め、四月五日に森政権が発足した。

小渕は治療の甲斐なく五月一四日に逝去するが、最後まで気にかけたであろう沖縄サミットは、森首相の下で七月に執り行われた。米大統領として本土復帰後初めて沖縄を訪問したクリントンは、沖縄戦最後の激戦地、摩文仁《まぶに》の丘で、沖縄戦の全戦没者の名が刻まれた「平和の礎《いしじ》」を前に、炎天下での演説に臨んだ。

「この島は日本の国土の一％未満の面積でありながら、(日本国内の) 米軍基地のための土地の七五％を提供している」[36]とした上で、「沖縄に住む人々が、それを自ら望んだわけではないことは承知しています」「この島での我々の足跡を減らしていくために、出来ることをしていきます」と語ったクリントンは、他方で沖縄の米軍基地の重要性とその整理・統合に向けた取り組みの進展を強調し、末尾で最後の琉球国王・尚泰《しょうたい》が、明治政府によって首里城からの退去を強いられた際、臣下に対して未来への希望を呼びかけたものとされる琉歌を引いて演説を終えた。[37]

日米安保の重要性とその重圧下におかれた沖縄への配慮を、沖縄戦最後の激戦地で、「琉球処分」時の琉球国王に触れつつ語ったクリントンの演説は、その技巧が意図したところを超えて、沖縄をめぐる問題の歴史的重層性と複雑さを浮き立たせるかのようであった。

森喜朗首相のアフリカ外交

急逝した小渕と旋風を巻き起こした小泉の間に挟まれ、影が薄いように見える森政権だが、外交面ではいくつかの注目すべき動きがあった。二〇〇〇年七月の沖縄サミットでは南アフリカのムベキ、ナイジェリアのオバサンジョ、アルジェリアのブーテフリカの各大統領などが東京に招かれてサミット参加国首脳と協議の場が設けられ、沖縄でのサミットにつなげる形がとられた。小渕が思い描いた沖縄サミットにおける南北対話が、曲がりなりにも実現した形であった。それが日本のアフリカ外交へと展開する。

年が明けた二〇〇一年一月、森首相は南アフリカ、ケニア、ナイジェリアを訪問した。サハラ以南のアフリカを日本の首相が訪問するのはこれが初めてであった。森はケニアではスーダン難民の受け入れキャンプを視察し、前国連難民高等弁務官の緒方貞子も同行した。高等弁務官としての手腕が国際的に評価されていた緒方は、小渕首相に外相就任を請われて辞退したものの、その後も政権中枢に助言を行っていた。難民キャンプに同行した記者は、「病気や栄養失調に苦しむ幼児の姿を目の当たりにして、そっと涙をぬぐった」と森の様子を記している。森によればアフリカ訪問自体、緒方の「難民対策や感染症対策で日本はアフリカに対してもっと存在感を示した方がいい」「トップが動けば啓蒙的な意味がある」というアドバイスが一つのきっかけであった[38]。

この歴訪でもマスコミの報道は、「〔自分が首相を〕いつクビになるか分からない」など森の失言に着目しがちであったが[39]、森は南アフリカにおいて日本の首相として初めてアフリカ政策について体系的な演説を行い、日本は「慈善行為ではなく、同じ目線で考え行動する」として、「開発への協力」と「紛争予防・難民支援」を対アフリカ協力の両輪に据えた。

そもそも日本はアフリカ支援では九三年以来、国連などと共催してＴＩＣＡＤ（アフリカ開発における東京国際会合）を五年ごとに開催してきた実績があった。ＴＩＣＡＤが開始された頃、欧米の援助の関心は冷戦終結後に体制移行へと踏み出したロシア、東欧の旧共産圏へと向かっており、アフリカは忘れ去られた状況にあった。

その中で日本がTICADを開始した背景にはいくつかの要因があった。南アフリカの民主化によってアパルトヘイトが廃止され、それまで「名誉白人」という地位を南アフリカで享受する一方、ブラック・アフリカ諸国からはそのことが白眼視されるという日本のアフリカ外交にとっての足枷が取り払われたこと、また冷戦後に国連安保理改革の気運が高まる中、数では国連の三分の一弱を占めるアフリカに対して、日本としても手を打っておく必要性が認識されたことも要因であった。

しかしTICADの継続的開催といった取り組みにもかかわらず、日本国内においてアフリカに対する関心は低いままであった。日本でアフリカがにわかに注目を集めるようになったのは、中国のアフリカ進出が喧伝されるようになった二〇〇〇年代後半になってからのことであろう。そのきっかけの一つが、二〇〇六年に北京で四八ヵ国の首脳を集めて開催された「中国アフリカ協力フォーラム首脳会議」だが、同会議は日本が主導したTICADを一つのモデルとしたというから皮肉なものである。

また森は国連などで「人間の安全保障」に再三言及した。その後「人間の安全保障」は、二〇〇三年にODAの方向性を定める「政府開発援助大綱」が改定された際に日本の援助の基本方針の一つとされた。また二〇一〇年には防衛大綱にも盛り込まれるなど、日本外交の軸の一つとして位置づけられることになる。

プーチンとの日露外交

沖縄サミットが森政権にもたらしたもう一つの外交地平が、ロシアとの関係であった。首相就任後の森は、沖縄サミットを前に各国首脳と顔合わせのため、参加各国への歴訪を行ったが、「最初にロシアに行こうと思った。その理由は小渕さんの言葉が遺言のように頭に残っていたためです」（森）。小渕は倒れる直前、小沢が率いる自由党が連立を離脱した後の政権運営について、「日ロ関係をやりたい。今、鈴木宗男君をモスクワに派遣しているので、その返事を待ってロシアを訪問したい」と森に対して語っていた(40)。

プーチンは森を故郷サンクトペテルブルクで迎えた（二〇〇〇年四月）。森によれば「プーチン大統領は非常に喜んでくれた」。「というのは、日本の歴代首相は就任後、真っ先にアメリカを訪問することが多いが、僕の場合は最初にロシアを訪問した」「しかも、プーチンさんは5月に大統領就任予定で、そのときはまだ大統領じゃなかった。にもかかわらず最初に来てくれた」(41)。また石川県根上町《ねあがりまち》（現・能美市《のみし》）の町長を長年勤めた森の父、茂喜《しげき》は日ソ協会石川県連合会会長を務めるなど日ロ友好に熱心で、極東イルクーツクの近郊に分骨された茂喜の墓が建てられているなど、森にとってもロシアには所縁《ゆかり》があった。森はその後も頻繁に会談してプーチンとの関係を深め、両者は森の首相退任後も個人的な関係を保つことになる。

プーチンは沖縄サミット参加につづいて同年九月にも来日し、森との会談で平和条約締結

沖縄サミットでの森首相（左）とプーチン露大統領（2000年７月）

の暁には色丹、歯舞を日本側に引き渡すとした日ソ共同宣言（一九五六年）が有効であると明言した。この五六年宣言をめぐっては、六〇年にソ連が日米安保条約改定に反発して、外国の基地が日本から撤去されない限り、色丹、歯舞の引き渡しは拒否すると立場を転じ、日本側はそれ以来、五六年宣言の確認を求めていた。

このプーチンの発言を受ける形で、日本側の一部で「二島先行返還論」が浮上する。まず五六年宣言に基づいて色丹、歯舞の返還を実現し、その時点でロシアと中間条約を結ぶ。つづいて国後、択捉に関わる交渉を継続し、両島が返還された時点で平和条約を結ぶという構想である。しかし一方でこれは事実上、色丹、歯舞の二島返還のみで決着を図るもので、「四島返還」の道を閉ざすものだという批判がなされた。

森は二〇〇一年三月、シベリアのイルクーツクでプーチンとの会談に臨む。しかしかねてからの失言に加え、水産高校の練習船「えひめ丸」と米潜水艦が衝突した事故の際、対応に問題があったとして批判され、森首相の求心力はもはや失われようとしていた。森とプーチンはイルクーツク郊外の森の父の墓に献花をし、つづく会談ではプーチンが「ロシアの世論を説得する必要がある。もう一期大統領をやれば、歯舞、色丹二島の返還交渉に応じる用意はある」と述べた。これに対して森は「歯舞、色丹と国後、択捉は車の両輪だ」と主張した。しかしプーチンは「〔五六年〕宣言を拡大解釈しないようお願いしたい。国後、択捉両島と56年宣言は関係ない」と日本側の主張にクギを刺し、二島返還で決着を図る意向を強調した。[42]同時にプーチンは、この会談前に自分がロシア国内で、五六年宣言について「我々〔ロシア〕にとって義務的なもの」と発言したことを取り上げ、森に対して「（ソ連時代を含む）歴代ロシア首脳として初めての、困難な言及だった」と語った。プーチンは、ロシアの国内事情を鑑みれば二島返還であっても自分にとっては困難な決断であると理解を求めた形であった。[43]

五六年宣言の有効性に言及したプーチンの発言以来、これを好機と見て日本側で浮上した「二島先行返還論」であったが、色丹、歯舞の二島返還で決着させたいロシア側と、「その次は国後、択捉の交渉だ」と考える日本側との思惑の違いには、結局のところ大きいものがあったといえよう。

森は二〇〇〇年八月にはインド、パキスタンなど南アジア諸国を歴訪した。海部首相以来一〇年ぶりとなる日本首相の南アジア訪問である。森は政権の看板政策としてIT振興による経済再生を掲げており、訪印の目玉の一つはインドにおけるIT産業の中心地、バンガロール訪問であった。ここでインドのIT関係者への訪日ビザ拡大など「日印IT協力構想」

が打ち出された。小渕から引き継いだ沖縄サミットも終え、「今後は自分なりにやりたいことを見つけたい」との森なりの意気込みであった。(44) 日本のインドに対する関心が、もっぱら中国に対するバランサーとしての期待で占められるのは、もう少し後のことである。

第5章　「風雲児」の外交――小泉純一郎政権

小泉登場と靖国参拝

森の後を継いだのは小泉純一郎である。自民党総裁選挙で返り咲きをねらった橋本龍太郎を破っての首相就任であった（二〇〇一年四月二六日に政権発足）。「自民党をぶっ壊す」と絶叫した小泉を世論は熱狂的に支持し、新政権に対する支持率は七八％（朝日）、八五％（毎日）、八七％（読売）と軒並み歴代最高を記録した。

小泉はそれまで党内で一匹狼的な存在であり、首相就任に至るまで外交に深く携わった形跡は見出しづらい。このあと小泉が展開することになる外交も、それまでの日本外交にはなかったメリハリのきいた大胆なものであった。ある全国紙は小泉を指して「外交を喧嘩にした男」と評したが、喧嘩はその内容如何にかかわらず耳目を引くものである[1]。そのような派手な外交は、世論が食いつく「小泉劇場」の主柱となるのであった。

政権発足後に注目されたのが靖国神社参拝への対応であった。小泉は総裁選の最中に、対抗馬・橋本の支持団体である日本遺族会を切り崩すねらいもあって、「首相に就任したら、八月一五日の戦没者慰霊祭の日にいかなる批判があろうとも必ず参拝する」と言い切っていた。首相就任後には「15日に行かなければ国民の信頼を失い、構造改革も進められなくなる」（首相周辺筋）と考えられた。しかし対中関係などを破壊するわけにもいかない。板挟みの中で浮上したのが、一五日を外した参拝であった(2)。

中国側からは水面下で、仮に小泉が参拝するのなら一五日を外し、私的参拝であることを明確にした上で、一般戦没者に対する追悼であることを談話で示して欲しいとの要望が伝えられた。中国指導部としても、できれば最大の貿易相手である日本との関係を安定させたいというのが本音であった。またこの頃、中国が海南島沖での米中軍用機接触事故など対米関係で不安定要因を抱えていたことも、中国政府の抑制された対日姿勢の理由であったといえよう(3)。

小泉政権内部では当初、「中国国内は終戦記念日に向けて騒がしくなる。15日を過ぎれば熱も下がる」（谷野作太郎前駐中国大使）といった意見も受けて一七日の参拝が検討されたが、一方で一五日以降では中国の要望に譲歩しすぎだという進言もあった。結局小泉は一三日に前倒しの参拝に踏み切った。「15日より後に先送りすれば、「一体いつ参拝するのか」と国内世論がうるさくなる……それならいっそ、15日より先に参拝してしまった方がいい」という判断であった(4)。

小泉は参拝にあわせて談話を発表し、「内外の人々がわだかまりなく追悼の誠をささげるにはどのようにすればよいか、議論をする必要がある」として、「新たな追悼施設」を政府として検討することを表明した。中国は参拝に抗議したものの、一方で一五日を避け、談話で戦争への反省を込めたことに「留意している」と、一定の評価をにじませた。

日中間で首相の靖国参拝が本格的に外交問題化したのは、中曽根首相が一九八五年、「公式参拝」と銘打って終戦記念日に参拝してからである。それ以降は橋本首相も中国などから抗議を受けると、それ以後の参拝を控えるというパターンを辿った。小泉もこのときの参拝のみであれば、従来同様に鎮静化したと思われる。小泉の際だった特色は、この後も毎年、参拝を繰り返した点にあった。そして以下で見るように小泉時代の対中関係は、この靖国問題と絡み合って展開することになる。

日中関係への影響

首相在任中、合計六回に及んだ小泉首相による靖国参拝だが、日中関係に与えた影響が最も甚大であったのが二回目（二〇〇二年四月）であった。それに先立つ二〇〇一年一〇月、小泉は前月にアメリカで起きた同時多発テロ（九・一一）という緊急事態にもかかわらず、予定通りに訪中した。そして日中戦争の発端となった北京郊外・盧溝橋《ろこうきょう》の抗日戦争記念館を見学し、「心からのお詫びと哀悼の気持ち」を表明した。小泉は江沢民との首脳会談では

「不戦の誓いと戦没者への哀悼の意を表するために参拝した」と熱弁を振るい、江は特段、翌年の参拝を牽制する発言をしなかった。

関係者によれば、この会談で小泉は中国側から一定の理解が得られたと思い、一方で中国側は、過去の例から見ても再びの参拝はないと受けとめた。その後、日中関係は大きく好転した。小泉は二〇〇二年四月中旬には中国が「アジア版ダボス会議」として注力する「博鰲《ボアオ》アジアフォーラム」への招待に応じ、中国指導部を大いに喜ばせた。ところがその一〇日後、小泉は二度目の靖国参拝に踏み切ったのである。中国側にとっては不意を突かれた形であった。小泉は反対されることを見越して、福田康夫官房長官や外務省幹部にも事前に伝えておらず、一度目のような中国側との調整も一切なかった。

小泉にしてみれば、道路公団や郵政事業をめぐって旧竹下派との闘争に全力を注いでおり、年一度の参拝を中止して「普通の総理」になってしまえば国内政局での求心力が削がれるリスクがあると考えた。他方で同年六月には日韓共催サッカー・ワールドカップ、秋には日中国交正常化三〇周年行事が控えており、中韓との外交に与える打撃は少なくしたい。このタイミングでの参拝は苦肉の策であったが、結果的には両国との関係改善ムードを一挙に突き崩すことになった。

同年一〇月、メキシコでのAPEC首脳会議にあわせて設定された日中首脳会談では、江沢民は靖国参拝を前面に出す。江は「首相の靖国参拝は、13億の中国人民の感情に触れる問題である」「靖国神社には行かない方がいい」と再三求めた。首脳会談としては異例であったが、そのたびに小泉は、「二度と戦争をしてはならないという気持ちで参拝している」と持論を繰り返し、最後には「本日は率直な意見交換ができた」と、江の主張を受け流すかのように会場を後にした。

日本側でも連立与党の公明党や外務省幹部などが小泉に参拝中止を訴えたが、小泉は「参拝は私の信念なんだ」「中国に歴史問題を外交カードとさせないためにも、靖国に行く必要があるんだ」と取り合わなかった。(5)

この年の一二月には、小泉が最初の参拝の際に言及した「新たな追悼施設」に関する懇談会の報告書が提出された。新施設は国立の無宗教とし、追悼の対象は将兵に限らず民間人や外国人も含めるという内容であった。ただ一方で「新施設は（靖国神社などの）施設と両立でき、決してこれら施設の存在意義を損なわずに必要な別個の目的を達成できる」としており、果たして靖国問題の解決策になるのか明確ではなかった。(6) 当の小泉は、かつては「造るんだったらいいものを造りたい。前から私も考えていた」と発言していたが、新施設が建設されても「靖国神社に代わる施設ではない」と述べるようになっていた。(7)

胡錦濤政権と「対日新思考」

小泉首相は、翌二〇〇三年は年明け早々の一月一四日に参拝し、その際に同年中は参拝しないと明言した。この年の二月には韓国で盧武鉉《ノムヒョン》が大統領に就任、三月には中国で胡錦濤が率いる新指導部が発足する予定で、その前に参拝を済ませておくことで関係構築の障害とならないようにという小泉なりの考えであった。

江沢民の後を継いで国家主席に就任した胡錦濤は、対日関係改善に意欲を持っていたと見られる。胡錦濤指導部が発足すると中国国内の識者から「戦勝国が寛大な態度をとってこそ和解の環境ができる。日本の謝罪はもう済んだ」(『人民日報』評論員・馬立誠《ばりっせい》)といった主張が提起されるようになり、「対日新思考外交」と評された。

胡錦濤自身も同年五月に小泉と初顔合わせの会談を行った際、靖国問題については「歴史を鑑として、未来に目を向ける」と触れるにとどめ、日中関係の安定的な発展への期待を前面に出した。これに対して小泉も「両国が協力を強化し、アジア地域の発展と友好のためにともに貢献することは可能だ」と応じた。

しかし、この日中関係改善の気運は、結局は安定軌道に乗ることがなかった。直後の六月には香港の活動家による尖閣諸島への接近、八月には中国東北部に旧日本軍が遺棄した毒ガス兵器の爆発で死傷事故、そして一〇月には陝西省の大学で日本人留学生が上演した寸劇が「中国を侮辱した」とされ、抗議する学生らが暴徒化した。また歴史問題を棚上げするかのような胡錦濤政権の対日融和に対する中国共産党内強硬派の反発もあり、日本側にも胡指導部に呼応して中国国内に対してインパクトを持つような積極策で応じるといったイニシアチブには欠けた。その後の日中関係の展開を考えれば、貴重な「失われた機会」であったとも見える。

その中で靖国問題は中国指導者にとって大きなリスクとなりつつあった。同年一〇月にインドネシアのバリ島で小泉首相と温家宝首相の会談が行われたが、翌日に小泉が「(靖国参拝は)お互いに理解されていると思う」と発言したことから、温は小泉に対して理解を示す素振りを見せたのではないかとして中国国内で激しく批判された。うかつに小泉と会談してその後に靖国参拝となれば、中国指導部内における自らの立場が危うくなる。靖国問題は中国指導者にとって、国内政治上のリスクと化していた。

二〇〇五年春、日本の国連安保理常任理事国入りに反対する運動が中国国内で広まり、日本の歴史教科書の記述が問題視されたことも加わって、四月には北京で一万人規模の反日デモが発生し、日本大使館の窓ガラスが割られるなどの被害が出た。その後も、上海《シャンハイ》や広州《こうしゅう》、瀋陽《しんよう》など各地でデモが発生し、日本領事館や日系スーパーなどに被害が出る事態となった。

小泉は結局、年に一度の靖国参拝を維持し、退任を間近にした二〇〇六年八月、首相就任前に公言していた八月一五日の靖国参拝を行った。その一方で小泉は、日本国内で語られるようになっていた経済的な「中国脅威論」を一貫して否定し、中国の経済成長は「日本にとってチャンスである」と繰り返した。実際、二〇〇四年には中国がアメリカを超えて日本にとって最大の貿易相手となった。政治関係は冷たいが経済関係は熱気を帯びているとして、

「政冷経熱」が語られた小泉時代の日中関係であった。

アメリカに颯爽とデビュー

ぎくしゃくが絶えなかった対中関係とは対照的に、小泉が緊密な関係を築いたのがジョージ・W・ブッシュ政権下のアメリカであった。

政権発足から二ヵ月後の二〇〇一年六月、首相として初訪米した小泉を、米側はワシントン郊外、キャンプ・デービッドの大統領山荘に招いた。クリントン民主党政権は九〇年代後半には対中関係を重視し、経済不振に苦しむ日本に対しては所得税減税など政策の細部にまで注文をつけて日本側の反発を招いた。これに対して共和党のブッシュは二〇〇〇年の大統領選挙において、民主党政権の「中国偏重」を批判し、日本など「同盟国重視」を打ち出していた。

小泉はラルフローレンの鮮やかな青いシャツを纏って山荘に降り立ち、ブッシュとキャッチボールに興じる姿が報道陣に公開された。小泉はブッシュとの会談では「大統領、「真昼の決闘」をご存じですか」と往時の西部劇を挙げ、「保安官は1人で4人の悪漢と対決する。自分も、1人になっても自民党内の反対派と戦う」と熱弁を振るった。小泉は前夜には「やはり途中で目が覚めた。あれこれ、会談で何を言うか、頭を整理してたから」と漏らしており、考え抜いた上のセリフだったのであろう。[8] 当時駐米大使だった柳井俊二も、「あのとき小泉さんは非常に緊張していました」という。[9]パウエル国務長官は「コイズミは本当に面白い。私に会った途端、「日米関係はエルビス・プレスリーの歌にある。その答えは I want you, I need you, I love you だ」と口ずさみ出したのだから」と言うが、それもかつてプレスリーが米陸軍に一時入隊した際、パウエルが上官であったことを調べた上でのことであった。[10]

小泉は日本国内では「ワンフレーズ・ポリティクス」と評されるなど、切れのある短い言葉を持ち味にしたが、これと対照的にブッシュとの関係では、この後も米映画や音楽、そして「スモウ（相撲）」や「ショーグン（将軍）」といった譬えを多用して自らの話を印象づけることに心を砕いていた。

そこには米大統領と緊密な関係を築くことが、日本の国内政治で大きな資産になるという読みがあったようにも見える。特に小泉政権は、世論の人気頼みで党内基盤は脆弱であった。ブッシュとの親密な関係は、日本の世論や政局において小泉にとって大きな力になったといえよう。小泉とブッシュのキャッチボール姿は早速日本で話題となり、デパートには小泉の青いシャツを求める問い合わせが相次いだという。

九・一一同時多発テロの衝撃

小泉政権発足当初、ブッシュ政権の関心は改革派の異端児・小泉が日本経済の再生を成し遂げられるのかという点にあった。これを一変させ、小泉時代の日米関係を決定的に方向づけたのが二〇〇一年九月一一日に米東海岸で起きた同時多発テロ、いわゆる「九・一一」であった。

当初、テレビで惨状を目にした小泉は「これ、何だい」と、にわかには事件を信じられない様子だったというが、それは大多数の同時代人が思ったことであろう。「事件の概要が不明な段階で、首相をむやみに出すべきではない」という福田官房長官の判断で、福田が記者会見を行い、小泉は公邸に戻る際、記者の質問に「〔テロは〕怖いね。予測不能だから」と、第三者的な感想を口にしただけであった(11)。

小泉は翌朝になって記者会見し、「米国のみならず、民主主義社会に対する重大な挑戦であり、強い憤りを覚える」と述べた。しかし、それまでに各国首脳が次々とアメリカを見舞う会見を行っていた。結果として小泉が遅れをとったことに、側近は「ここ一番ではやはり総理自身の言葉が必要となる。発足から半年を迎えようとしていた小泉政権にとっては、大きな教訓となった」と振り返る(12)。

とはいえ全般的に事件を受けた日本政府の動きは素早いものであった。アメリカでは柳井俊二駐米大使が事件から四日目の九月一五日に知日派の筆頭格・アーミテージ国務副長官に対して極秘に面会を申し入れた。この席上でアーミテージはアメリカが未曽有《みぞう》の国難にあると繰り返し、「友人として失礼を省みずに言う」とした上で、「自分は今回の事件への今後の対応について、日本が湾岸戦争の際のような対米協力をめぐる問題を避けることがどうしても必要だと考えている」「タイミングが命であって、今どういうアクションを取るかがきわめて重要である」と述べ、憲法の制約内で可能なこととして、自衛隊の艦船や航空機が米軍の輸送に協力する用意があることを表明するといった具体策にまで言及した。

この会談では、アーミテージが「ショー・ザ・フラッグ」（旗幟を鮮明にせよ）と述べたと報道された。しかし実際には会談でそのような発言はなく、事件翌日にヒル国防総省日本部長が小松一郎駐米公使に対して電話で口にした語句が混在して伝えられた形であった。外務省が米政府の情勢認識を官房副長官の安倍晋三に報告する際に、キーワードとしてヒルなどが口にした「ショー・ザ・フラッグ」を使い、安倍が発信源となって「アーミテージの発言」として政界やマスコミに広まることになった[13]。このあと、自衛隊の支援活動を可能にする新法制定の過程で政府・与党関係者は、「〔知日派の筆頭である〕アーミテージ氏がそこまで言うのなら……」と次々に賛成にまわることになった[14]。

また柳井大使は日本人特派員を相手に記者会見を行い、「〔湾岸戦争では〕「日本人の顔がちっとも見えない」と、非常に強い国際的な批判にさらされた。教訓の中にはそれが入っており、米国からもそういう指摘がある」と、「米国からの指摘」を交えて「顔の見える支援」の必要性を指摘した[15]。

湾岸戦争の際に総額一三〇億ドルもの拠出をしたにもかかわらず、国際的な（実際には米政府からの、といってよかろう）評価が得られなかったという苦い経験は、日本政府当局者のみならず国民的な記憶となっていた。「ショー・ザ・フラッグ」という歯切れのよい言葉は、今度こそ素早く何かをしなくてはいけないという世論が日本国内で急速に醸成される端緒になった。この年の流行語大賞の一つにも選ばれた「ショー・ザ・フラッグ」であった。

テロ特措法の成立と海自派遣

「顔の見える対米支援」が喫緊の課題となった日本政府内では、九月一三日から官僚機構のトップに立つ古川貞二郎官房副長官が秘密裏に外務省や防衛庁幹部、そして内閣法制局からも次長を集めて対米支援策の検討を進めた。内閣法制次長を加えたのは異例であったが、各省庁が作成した法案を法制局が審査する通常のプロセスでは間に合わないという古川の判断であった。ここで外務省が新法制定を提起したのに対し、防衛庁は周辺事態法で対処できると主張した。しかし九九年一月に当時の小渕首相が「周辺」の範囲について「現実問題として中東とかインド洋とか、まして地球の裏側は想定していない」と答弁していたことがネックとなった。結局この会合で特別措置法が必要だとする結論が下され、福田官房長官を通じて小泉にも伝えられた[16]。

これを受けて小泉首相は一九日の記者会見で、新法制定の方針を打ち出した。公明党の強い意向もあって、新法は期限付きの時限立法とされた。小泉は対米支援策を手に訪米し、二五日のブッシュとの首脳会談では、「自分は大統領と共にいる。テロとの戦いで大統領を助ける」と歯切れ良く述べ、ブッシュは「ありがとう」と繰り返した。小泉は正味一日あまりのアメリカ滞在中、ニューヨークのテロ現場を視察し、ジュリアーニ市長との記者会見では「われわれは米国とともにある」と英語で語りかける姿が全米に生中継された。

その後の法案作成は比較的速やかに進んだが、その背景には周辺事態法や、湾岸戦争時に廃案になった国連平和協力法案といった「下敷き」があった。国会審議では、自衛隊による支援活動に対する国会承認は事前か、事後かが焦点となった。小泉は自民党内の反小泉勢力を牽制するねらいもあって、民主党との「連携カード」を視野に、民主党も賛成することが望ましいとしていた。しかし民主党が事前承認を求める一方、連立与党の公明党は法案が国会を通れば事前審査と同じことなので事後でよいと主張した。公明党には、自民と民主の相乗りが成立すれば、自らの存在感が埋没するとの計算も働いていた。結局、公明党の主張が通って民主は反対のまま一〇月二九日に法案は成立した。[17] それでも法案提出から二四日後の成立は異例の早さであった。

アメリカはイスラム原理主義過激派のオサマ・ビン・ラディン率いるアルカイダを同時多発テロの首謀者と見定め、潜伏先と見られたアフガニスタンのタリバン政権に引き渡しを求めたものの拒否された。これを受けてアメリカは、同時多発テロを戦争行為と見なし、自衛権を根拠に一〇月七日、アフガニスタンへの攻撃に踏み切った。日本も成立したテロ対策特措法に基づいて一一月二五日に海上自衛隊の補給艦と護衛艦がインド洋に向けて派遣され、一二月二日には米軍艦艇に対して初めて洋上補給を行った。同年末までにはタリバン政権は事実上崩壊した。

イラク戦争で米を「支持」

タリバン政権の崩壊後、ブッシュ政権の関心はサダム・フセイン大統領のイラクに注がれることになった。イラクが湾岸戦争（一九九一年）での停戦条件であった「大量破壊兵器」の破棄を履行せず、国連の査察にも非協力的な態度をとったことに対して、二〇〇三年三月には米英を中心とする多国籍軍がイラクへの攻撃を開始する。九・一一テロという惨事を受けたアフガニスタン攻撃に比べ、イラク攻撃は仏独など少なからぬ国から強く批判され、国連安保理でも明確な決議を得ることができないままの戦争開始であった。

このイラク戦争をめぐって小泉首相はブレア英首相などとともに、幅広い国際社会の同意を取り付ける努力をするよう、水面下でブッシュ大統領への説得を試みた。「日本には、「横綱」という大相撲のチャンピオンがいる。横綱は自分からは決して仕掛けない……米国は横綱相撲を取るべきだ」とブッシュの眼前で相撲のポーズをとって見せたり（二〇〇二年九月）、開戦後も「日本には昔、将軍と天皇がいた。将軍は権力を持ち、天皇には権威があった」「イラクの戦後問題は米国だけでは解決できない。国際協調のため、国連という権威を使うことが必要だ」（二〇〇三年五月）と、時に日本の歴史や文化を譬えに用いながらアメリカが単独行動に走らないよう諫めようとした。いずれもブッシュの心に響き、かつプライドを傷つけないように小泉が考え抜いたフレーズであったのだろう。[18]

そのような説得をしつつも、アメリカがいよいよ対イラク開戦に踏み切るという段階になると、日本政府としてアメリカの軍事行動を「支持」するのか、「理解」にとどめるのか決断を迫られることになった。外務省では「各国の支持が割れている今こそ、米国支持を明確に打ち出し、米国に大きな「貸し」を作る好機だ」と幹部が小泉を説得していた。開戦の「Xデー」が間近という段階になると、態度表明をどのタイミングで行うのか、外務省幹部や福田官房長官の間で「開戦前」「武力行使後」「開戦時」と意見は割れた。

最終的には小泉がブッシュ大統領によるイラクへの最後通告(四八時間以内にフセイン大統領と二人の息子にイラク国外に退去することを要求)を受け、三月一八日、記者に対して「米国が武力行使に踏み切った場合、この決断を支持する」と明言した。その理由として小泉は「大量破壊兵器が独裁者やテロリストの手に渡れば、何十万人の生命が脅かされる」「戦後五〇年以上、我々の先輩たち、国民が培ってきた日米関係の信頼性を損なうことは国益に反する」と語り、支持の根拠として国連安保理決議一四四一(前年一一月、イラクに武装解除を求めた決議)などを挙げた。

小泉は後に「仮に内閣支持率が急落しようが、関係ない。最初から「支持」と決めていた……戦争がいけないのは当然だが、現実は甘くない」と、このときの心情を明かしているが、当時の日本国内の世論調査では八割前後がアメリカの武力行使に反対という中での表明であった。小泉は他方で「北朝鮮問題を考えても、日米安保条約が大きな抑止力になっている」「日米の対応を北朝鮮が見ている」と述べ、核開発を進める北朝鮮に対して日米同盟の結束を示す意図があったことをうかがわせる。(19) イラク戦争は開戦からわずか二一日後の四月九日には首都バグダッドが陥落し、五月一日にはブッシュ大統領が戦争終結を宣言した。

イラク特措法の成立

小泉首相による「支持表明」の傍らで、政府内ではイラク戦争をめぐる対米支援策の検討作業が始められていた。福田官房長官などは、早期に自衛隊派遣を打ち出すことには慎重であった。折から国会では「武力攻撃事態対処三法案」(有事法制関連法案)が審議されており、これ以上、立て続けに軍事色の強い法案を提出するのは政権運営上も好ましくないと考えられたのである。(20)

有事法制関連法案は日本への武力侵攻を念頭においたもので、五五年体制下では戦争を前提としているとして、議論すらタブー視されたものであった。小泉は有事法制関連法案が国会で成立したのを見届けた上で六月初旬、イラク復興への自衛隊派遣を可能にする特別措置法の国会提出を表明した。イラク戦争の開戦前、アメリカからは、「湾岸戦争のようなことは繰り返したくない。日本は戦争中は無理をする必要はない。戦費負担も求めないという考えが示される一方、戦争終結後の復興支援では自衛隊の派遣を期待する声が出ていた[21]。

これに対して自民党内では、提示されたイラク特措法に対して野中広務らが異を唱え、「大量破壊兵器処理の支援」が行き過ぎだとして削除された。しかし結果的にイラクで大量破壊兵器は見つからず、小泉は皮肉にも反小泉勢力によって助けられる形になった。野中らは外交安保政策を足がかりに小泉との対立軸を築こうと試みていたのだが、「北朝鮮問題を考えれば、いざというときに頼りになるのは米国だけだ」といった声も多く、まとまるには至らなかった[22]。

国会審議で最大の焦点となったのは、戦争終結後も不穏な情勢がつづくイラクにおいて、陸自が派遣される「非戦闘地域」の定義であった。小泉は「どこが非戦闘地域なのか、私に聞かれたってわかるわけがない」「自衛隊がいるところが非戦闘地域だ」と居直りとも見える答弁を連発したが、それが致命傷となることもなく、法案は衆議院につづき、七月二六日に参議院も通過して成立した。

振り返ってみれば小泉は、湾岸戦争の際には小沢主導の自衛隊派遣を模索する動きを舌鋒《ぜっぽう》鋭く批判し、九三年にカンボジアPKOに従事していた日本の文民警察官が殺傷された際には、宮沢政権の郵政相として「撤退も選択肢だ」と主張した。その小泉が官邸の主となった途端に、自衛隊の海外派遣を推し進める側にまわったのである。派閥基盤の弱い小泉にとっては、世論の支持と並んで対米関係強化が政権維持の生命線であり、他方で外務官僚は高支

持率の小泉政権を、年来の課題である自衛隊派遣を進める格好の追い風として利用した。「呉越同舟」の構図であった。(23)

自衛隊、イラクへ

イラク特措法が成立すると、これに基づいたイラクでの復興支援策が進められることになったが、最大の焦点は陸上自衛隊の派遣であった。「ショー・ザ・フラッグ」につづいて今度は同じくアーミテージが言ったとされる「ブーツ・オン・ザ・グラウンド」が世に知られるようになった。アメリカ側が航空自衛隊による輸送任務だけでなく、存在感のある陸上部隊、すなわち陸自の派遣に期待を示したのである。検討の結果、イラク南部の都市、サマーワへの陸自派遣が二〇〇三年一〇月には固まったが、世論の反発があり得ると見て、翌月初旬の衆議院選挙の後に持ち越された。

一〇月にブッシュが来日した際、福田ら政府首脳は小泉に対して、ブッシュに自衛隊の年内の派遣と具体的活動を表明するよう提案したが、小泉は断り、ブッシュには「任せてくれ」と言う程度ですませた。衆議院選挙を前に、「対米追従」とのイメージが付着するのを嫌ったと見られた。総選挙を終えた一二月九日、小泉政権は自衛隊のイラク派遣に関する基本計画を閣議決定し、小泉は「武力行使はいたしません。戦闘行為にも参加いたしません。戦争に行くのではないんです」と記者会見で国民に説明した。(24)

イラクに派遣された陸自部隊は二〇〇六年に撤収するまで、サマーワを中心に給水、医療支援、学校や道路の補修作業などを行った。「非戦闘地域」とされた派遣先であったが、自衛隊の宿営地に対する迫撃砲などを用いた攻撃は一三回に及んだ。自衛隊中枢では万が一、隊員に犠牲が出た場合の国による葬儀の手順などを検討し、サマーワの宿営地には隊員の目に触れないように棺《ひつぎ》が持ち込まれていたという(25)。

自衛隊派遣中の二〇〇四年にイラク暫定政府が発足した。これに伴ってイラクにおける自衛隊の活動を裏づける法的根拠も変更となり、新たな国連決議に基づく多国籍軍に参加する必要が出てきた。外務省は米英に働きかけて新たな国連決議に「人道復興支援」という言葉を滑り込ませ、小泉は〇四年六月の日米首脳会談で「日本はイラク暫定政府に歓迎される形で、自衛隊派遣を継続する」と慎重に表明した。しかしこの発言は国内で一斉に「「自衛隊の」多国籍軍参加を事実上表明」と報道され、政権支持率は調査によっては一四％も急落し、翌月に参議院選挙を控えた小泉政権にとって痛手となった(26)。

政治的資産としての緊密な対米関係と、その裏づけとしての安全保障上の対米協力。小泉にとってブッシュとの「盟友関係」は、政権の強みにもなる一方で、リスクにもなる重大事であった。そして小泉はその取り扱いに細心の注意を払いつづけたのである。

小泉訪朝「前史」

「サプライズ」は小泉劇場を構成する重要な要素であったが、その最たるものが二〇〇二年九月の電撃的な北朝鮮訪問であった。国交すらない「謎の国」に、いきなり首相自ら乗り込むというのである。〇二年一月に外務省事務方との対立・混乱から田中真紀子外相を更迭したことで、小泉政権の支持率は二〇〜三〇%も急落して四〇%台となったが、同年八月末に小泉訪朝が電撃的に発表されると、支持率は回復に転じ、政権は勢いを取り戻すことになった。

しかし日朝接近の動きはこのとき突然始まったわけではない。一九九〇年九月の金丸訪朝団をきっかけに始まった日朝国交正常化交渉は拉致問題で頓挫したが、二〇〇一年一月に入ると、北朝鮮側が日本へのアプローチに乗り出してきた。森首相に近い前官房長官の中川秀《ひで》直《なお》が同月、シンガポールで秘密裏に北朝鮮の姜錫柱《カンソクジュ》第一外務次官と会談し、姜は「植民地支配の過去の清算と人道問題〔拉致問題〕を同時決着させたい。誠意をもってやる」として日朝首脳会談を提案してきた。従来、日本側が問題提起をするだけで交渉中断となった拉致問題について、姜は「過去の清算」と絡めることで柔軟な姿勢を示したのである。しかし具体的な決着方法には触れず、一方で「過去」への補償として「とてつもなく大きい金額」（森首相）を提起した。日本側は結局、この打診には乗らなかった。(27)

その後小泉政権下では、二〇〇一年五月に金正日《キムジョンイル》の長男である金正男《キムジョンナム》の日本への不法入国と国外退去処分、同年一二月には日本のEEZ（排他的経済水域）内で北朝鮮のものと見られる不審船が発見され、追跡した海上保安庁巡視船との間で銃撃戦となった末に不審船が自爆するなど日朝関係は波乱含みであった。だが水面下では日朝政府当局者間の接触がつづけられていた。日本側では槙田《まきた》邦彦外務省アジア大洋州局長の大使転出後、後任の田中均がパイプを引き継ぎ、福田官房長官などの指示を受けながら、第三国で北朝鮮側と接触を重ねていった(28)。「ミスターX」とメディアで報じられた北朝鮮側の窓口は、国防委員会所属の軍人で金正日に直結する人物だとされている。

二〇〇二年二月には北朝鮮側が、スパイ容疑で拘束していた日本経済新聞社の元記者を解放するなど、具体的な行動で対日接近のサインを送ってきた。その背後にあったのは、ブッシュ米大統領が同年一月の一般教書演説で、北朝鮮をイラン、イラクと並ぶ「悪の枢軸」と名指しし、軍事行動を含む「あらゆる選択肢を排除しない」と強硬姿勢を示したことであった。北朝鮮指導部は対日外交で活路を開こうとしたのである。

その中で北朝鮮が強くこだわったのが日本による植民地支配などへの「補償」で、「ミスターX」は「日本は一体いくら金を出してくれるのか」と迫ったという。経済の立て直しが喫緊の課題となっていた北朝鮮にとって、国交樹立後に巨額の資金が期待できる対日関係の打開は、きわめて重要になっていた。これに対して田中は「金額など言えるはずがない」として、逆に以下の三点を北朝鮮側が受け入れるよう説いた。第一に北朝鮮が拉致を認めて謝罪し、被害者の情報を明らかにすること。第二に「過去の清算」は、賠償ではなく日韓国交正常化と同様に「経済協力」によって行う。第三に経済協力の金額は公式にも非公式にも決めない。これらを「譲れない一線」としたのは小泉であり、「この点を譲歩してまで、国交正常化交渉を進める必要はない」と指示していた。[29]

その傍らで韓国の金大中大統領は四月に特使を派遣して金正日総書記に親書を届け、日本人拉致は北朝鮮の一部急進勢力が行ったものと認め解決を図る、日航機よど号事件（一九七〇年に日本赤軍派のグループが日航機を乗っ取り、北朝鮮に渡った事件）の容疑者を北朝鮮国外に出す、植民地支配の補償については、日韓国交正常化の例に倣って一定程度妥協する、といった具体的な解決案を示して説得した。これに対して金正日は、拉致はあくまで「行方不明者問題」として日朝の赤十字で議論する意向を示したが、他はおおむね前向きであったという。[30] 金大中は「太陽政策」を掲げて北朝鮮を包摂する必要を説いていたが、日朝関係打開に対する側面支援もその一環だったといえよう。

二〇〇二年七月になると、北朝鮮側が上記「三点セット」の受け入れで譲歩を示し、さらによど号事件容疑者の日本への出国を容認する姿勢に踏み込んだ。第一外務次官の姜錫柱は「米国が北朝鮮を敵視しないよう、日本から説得して欲しい」と述べるなど、日本を通じて対米関係を打開したいとの思いをにじませた。[31]

日本側は小泉訪朝までに拉致について認めるよう強く求めたが、北朝鮮側は拉致を認めるとすれば金正日総書記だけだという立場を変えなかった。北朝鮮側には、拉致を公にすればかえって日本の世論を硬化させ、小泉訪朝もキャンセルになるのではないか、そもそも日本側にとってこの交渉は、拉致を認めさせることだけを目的とした策略なのではないかといった疑念が強かったと見られる。[32]

アメリカとの調整

イラク戦争を前にしたこの時期、ブッシュ政権内では北朝鮮に対してでも「交渉をしてもだまされるだけだ。そんな国は厳しく締めつけるしかない」というラムズフェルド国防長官、チェイニー副大統領ら強硬派と、外交で解決するしかないというパウエル国務長官、ライス大統領補佐官らが対峙していた。その中で日本政府は米側に対して水面下での日朝接触を説明してはいたが、肝心の小泉訪朝については「事前に〔米側に〕漏れれば、訪朝はつぶれる。米政権内の強硬派が意図的にリークする恐れもある」という判断から伏せていた。[33]

訪朝正式発表のわずか三日前となる八月二七日、小泉首相はベーカー駐日米大使、来日中であったアーミテージ国務副長官に対し、「近く北朝鮮を訪問し、金正日総書記と会談したい。自分が行って拉致問題などの局面を打開したい」と打ち明けた上で、「ブッシュ大統領にもきちんと伝えるつもりだ。詳細は今晩、事務レベルで説明させる」と述べた。寝耳に水のアーミテージはすぐさまパウエル国務長官に報告し、翌日パウエルは「ＯＫだ。大統領は愉快というわけではないが、小泉首相の立場を理解した」と伝えてきた。小泉もブッシュに電話で直接説明をし、つづけて江沢民、金大中にも電話をしたが、江は不在であった。

訪朝直前となった九月一二日、日米首脳会談でブッシュは「北朝鮮の大量破壊兵器、ミサイル、通常兵力はおろそかにできない」と強調した。小泉は「核問題が解決しない限り、日朝が国交を正常化することはない」と、日本が核問題を脇において拉致を優先するのではという米側の懸念の払拭《ふっしょく》に努め、「金正日は嫌いだ」と公言するブッシュも最後には「グッド・ラック」と小泉にエールを送った。

アーミテージは後日、日本外務省幹部に対して、「実は、我々は当時、小泉訪朝に反対だった。だが、大統領が「ジュンイチロウが決めたことだから」と言うので、それ以上は何も言えなかった」と語っている[34]。小泉にとっては、「九・一一」後の対米支援を通じて培ったブッシュとの信頼関係という外交上の資産を、日朝関係の打開に投じた形であった。

訪朝と拉致調査、衝撃の結果

八月三〇日、小泉訪朝を発表した福田官房長官は、「政権浮揚のための賭けではないか」という記者の質問に対して「失礼なことを言わない方がいい……第一に国益、第二も第三も国益だ」と退けた。実際のところ首相自身が訪朝したとて、拉致問題をはじめ確たる成果があがるとは限らない。首相経験者の一人は、「私が首相ならとても行けなかった。小泉氏だ

から行けた。その点は敬意を表する」と語った。(35)

日朝の外交当局者の間では小泉訪朝で署名される予定の「日朝平壌《ピョンヤン》宣言」の案文作りが大詰めを迎えていた。北朝鮮側は補償ではなく経済協力とすることを受け入れ、歴史問題では、「村山談話」を踏襲する形がとられたが、日韓基本条約や日中共同声明に「お詫び」はないことから、この点では日本側の譲歩ともいえた。

こうして九月一七日早朝、小泉首相一行は政府専用機で平壌への日帰り訪問へ出発した。前日にはブッシュ大統領から、「あなたが金正日に会う前にこのことが大きな問題であることを改めてお伝えする必要があると思う」として、北朝鮮の核開発への注意を喚起する念押しのメッセージが届けられていた。

午前九時過ぎに政府専用機は平壌に到着し、一一時過ぎから首脳会談が始まった。北朝鮮側から拉致被害者に関する「調査結果」が伝えられたのはその直前であった。それは拉致問題の象徴的存在であった横田めぐみを含む八人は死亡、一人は入国していないという、日本側の予想よりもはるかに悪いものであった。小泉は目をつぶって、しばらく絶句したという。

間もなく始まった首脳会談で金正日が「朝早くから平壌に来ていただき、ホスト国としては申し訳なく思っています」「この会談を契機として真の意味で近くて近い国に」したいと述べたのに対し、小泉は拉致被害者について「日本国民の利益と安全に責任をもつものとして大きなショックであり、強く抗議いたします。ご家族のお気持ちを思うととてもいたたまれません」と述べた。しかし金正日から明確な反応はなく、終了間際に小泉が「生存者にきちんと面会させてほしい。そして拉致については明確に謝罪をしていただきたい」と迫って午前中の会談は終わった。

北朝鮮側は事前に、せめてワーキング・ランチのような昼食でもと打診していたが、日本側はこれを断って弁当を持ち込んでいた。控え室で小泉は無言のまま手をつけず、周りからは「相手が認めないんであれば、総理にしつこくやっていただく必要があります」（田中局長）、「実態説明と謝罪がない限り、共同宣言の署名は待った方がいいと思います」（安倍官房副長官）といった声が次々とあがった。(36)

日朝平壌宣言と強まる反発

午後二時に再開された首脳会談の冒頭、金正日は拉致について発言した。「この背景には〔日朝間の〕数十年の敵対関係があるけれども、まことに忌まわしい出来事である」とした上で、「一つは特殊機関で日本語の学習ができるようにするため。もう一つは人の身分を利用して南〔韓国〕に入るため」と動機を説明し、「私がこういうことを承知するに至り、これらの関連で責任ある人々は処罰された。これからは絶対にない。この場で、遺憾なことであったことを率直におわびしたい。二度と許すことはない」と謝罪した。小泉は発言を聞きながら、自分は関与していないし、知らなかったという語感が強いと思ったが、平壌宣言へ

れた。

両首脳が署名した平壌宣言には、国交正常化の早期実現、「過去」に対する日本側の「痛切な反省と心からのお詫び」、正常化後の経済協力、「日本国民の生命と安全に関わる懸案」についての北朝鮮側の遺憾表明、核やミサイルに関わる国際的合意の遵守《じゅんしゅ》などが盛り込まれた。

果たして、訪朝翌日の日本国内の各紙見出しは「悲しい拉致の結末」（朝日）、「許し難い残酷な国家テロ」（毎日）、「国民の不信感高まる」（読売）と、「八人死亡」の衝撃に覆われたものとなり、国交正常化に向けた気運はそれに押し流された形であった。抗議が殺到した外務省などには重点警備が敷かれた。

この訪朝について以下のような批判的な指摘もなされた。訪朝前の勉強会で核問題に割かれた時間は少なく、また拉致問題についても事前の検討は十分ではなく「出たとこ勝負」となった。八人死亡といった「悪いシナリオ」への対応が十分に練られていたとも言い難い。日朝国交正常化は首脳会談をバネに交渉を一気に進めるしかないというのが小泉や田中均の判断であったが、「日本外交史に残る偉業を成し遂げたい、という功名心にかられていた」のではないかといった点である。(38)

他方で一九九〇年の金丸訪朝団以降、少なからぬ政治家が日朝交渉に携わったが、拉致を北朝鮮が認めることはないという前提で、正常化後にこれを解決するという「出口論」が優

日朝平壌宣言に署名後の小泉首相（左）と金正日北朝鮮総書記（2002年９月）

勢であった。「拉致を前提に置くと、何も進展しなくなる」といった発言も希ではなかった。また対北朝鮮のコメ支援や国交正常化後に支出される巨額の資金協力にまつわる利権絡みの噂も絶えなかった。そのような中、拉致問題の解決を交渉の「入り口」に据えたのは事実上、小泉が初めてであった[39]。だがそれは結果として、「未知の国」であった北朝鮮の最も深い暗部を、日本人の生命に直結する形で白日の下に晒すことになったのである。

北朝鮮の外交関係者は後日、「われわれは〔拉致の実情を明かすことによる〕日本国内の反応を危惧したが、日本側はその否定的な反応を十分に評価できなかった」と不満を示した。官房副長官として一連の外交の下支えをした古川貞二郎は「〔拉致問題の象徴的存在であった横田〕めぐみさんが死亡者リストに入ったこと、それから死者リストの人々がみな若すぎたことが決定的だった」と語る[40]。小泉自身、自民党総裁経験者に対して「拉致被害者の安否情報を除けば日本側の情報は正確だった。いたたまれない気持ちだ」と漏らしており、「八人死亡」は小泉にとっても誤算であったことがうかがえる[41]。

その後、北朝鮮当局が、「死亡」とされた人々について、「自殺」「ガス中毒」などの死因を挙げつつ、それとは整合性のない説明を繰り返したこと、さらにその後、横田めぐみのものとして引き渡された遺骨が鑑定の結果、骨は二人分あり、いずれも別人のものと判明したことなどは、あまりに不誠実な対応として日本側の反発を一層強め、国交正常化に向けた推進力はますます弱まっていった。

再訪朝と福田官房長官の辞任

小泉訪朝の翌月一〇月、拉致被害者五人が一時帰国の形で二十数年ぶりに帰国を果たした。当初、北朝鮮側は、日本から家族が訪朝して対面することを提示したが、日本側が一時帰国で押し切った結果であった。安倍官房副長官らは拉致被害者家族会の意向もあって、五人をそのまま日本に永住させることを考えていた。これに対して田中均らが「日朝間の信頼関係が崩れてしまう。日朝協議ができなくなる」と北朝鮮に戻すよう主張したが、小泉は安倍の主張を容れた[42]。

安倍には、世の関心が薄かった時期から拉致問題に取り組んできたという自負があった。たとえば小渕政権下の一九九九年に村山富市率いる訪朝団が日朝交渉再開を決めた際、安倍は「拉致問題を棚上げして交渉再開を急ぐべきではない」と声をあげたものの、外務省の槙田邦彦アジア局長から「たった十人のことで、日朝国交正常化が止まっていいのですか」とあらわれている。安倍は小泉政権下で官房副長官に就くと、この発言を遡って取りあげ、問題視した。日朝間のパイプ維持を重視する外務省はそれまで、対北朝鮮のコメ支援などで批判が噴出するたびに、野中広務などの発言力に頼ってきた面があったが、小泉政権になると野中らの発言力は大きく低下していた(43)。

二〇〇四年四月下旬になると小泉は福田と田中に対して、拉致帰国者の家族八人を日本に連れてくるため、再び訪朝するという腹案を告げた。これは小泉の秘書官である飯島勲《いさお》が進言した案であった。飯島は拉致問題で日本世論の北朝鮮に対する感情が悪化していることを憂慮する朝鮮総連の最高幹部から接触を受ける形で北朝鮮とのルートを構築していた。飯島には七月の参議院選挙に向けてこれが支持率上昇に好材料となるという計算もあり、小泉も盟友の山崎拓《やまさきたく》に対して、「参院選までに8人の家族を日本に帰したいんだよ」と漏らした。山崎はそこに、家族の帰国という成果を選挙に生かし、参院選後も「首相在任中の日朝国交正常化」を掲げて求心力を保つという小泉の野心を感じ取ったという。一方で小泉には、帰国によって拉致被害者の家族をバラバラにしてしまったことへの思いがあったともいう(44)。

小泉再訪朝が大筋で決まった五月上旬、内閣の大黒柱である福田官房長官が突然辞任した。年金未納が発覚したことを理由にした辞任であったが、実際には、小泉再訪朝をめぐる軋轢《あつれき》が理由であったと見られる。福田にしてみれば、最初の訪朝は正規の外交ルートである田中を通したものであったが、今度は非正規ルートである。「二元外交は絶対にやるべきではないという信念がある」(政府高官)という福田は、「激しく怒って小泉首相に「白紙に戻してくれ」と迫った」が、聞き入れられることはなかった。

福田は飯島の動きを察知して小泉にクギを刺し、その度に小泉は「そんなのないよ」と繰り返していただけに、怒りも強かったのであろう。一方で小泉に言わせれば「オレは総理なんだ……オレが全責任を持ってやっているんだから一元〔外交〕じゃないか」ということであろう。「これが政治というものだ」と後日、親しい関係者に漏らしたという福田は、その後も小泉政権に戻ろうとはしなかった。[45]

五月二二日早朝、小泉は再び日帰りで平壌へ飛んだ。首脳会談で金正日は「「平壌宣言」の合意後、朝日関係が良くなると思っていたのに、そうならなかった。自分たちは失望した」とまくしたてる一方、拉致被害者の家族八人の日本帰国についてはあっさりと認めた。小泉が核開発問題を取りあげ、核廃棄を決断したリビアを例にその利点を説いたが、金は「我々はリビアとは違う」と述べた。その一方で金は「声がかれるほど米国と二重唱したい。周辺国の伴奏をお願いしたい」と、米朝関係改善に向けた日本の助力を求め、これに小泉は「来月の先進国首脳会議で私からブッシュ大統領に伝える」と応じると、金正日は満足そうな笑みを見せたという。[46] 小泉は拉致被害者の子供たち五人を同行して同日夜に帰国した。

安倍台頭と対北朝鮮強硬策

二〇〇五年九月、アメリカがマカオの銀行にある北朝鮮関連口座を対象に金融制裁の動きに出ると北朝鮮は激しく反発し、二〇〇六年七月五日には七発のミサイルを実験と称して発射した。この頃、すでに小泉首相は自民党総裁の任期切れを理由に同年九月の退任を予告しており、小泉はミサイル発射への対応を官房長官に起用した安倍に任せた。

安倍官房長官、同様にタカ派と目された麻生太郎外相、そして安倍外交の振り付け役と目された外務事務次官の谷内正太郎《やちしょうたろう》という布陣は、当初から強硬姿勢で臨む構えであった。このとき日本は非常任理事国として国連安保理のメンバーであり、ミサイル発射の当日中には、アメリカと調整の上で「制裁決議」案を安保理各国に提示した。中国など常任理事国の拒否権行使を避けるため、より穏やかな「非難決議」にとどめる案もあったが、安倍、麻生らは、「中国に拒否権を行使させてもよい」と正面突破の構えであった。(47)

国連安保理では当初、この件については「議長声明」ではないかという見方が多かったが、日本の強硬姿勢によって格上げされる方向で駆け引きが始まり、最終的には北朝鮮への不快感を示したい中国の賛成も得られ、安保理は七月一五日、全会一致で北朝鮮に対する「非難決議」を採択した。

日本が安保理で制裁議論の先頭に立つのは異例であった。安倍は採択を前に「これからの外交は対米追随だけではダメ。言うべきことは言うべきだ」と自民党新人議員に熱弁を振るい、麻生も「今は官邸も外務省も強硬。安倍が官房長官でよかった」と語った。しかし靖国問題で日中間の対話が途絶える中、安保理の全会一致を確保する上で鍵となる中国との折衝はほぼアメリカ任せであった。「あのまま制裁決議を強行すれば（中韓や北朝鮮の反発で）6カ国協議もつぶれていた」と、国際的連携よりも制裁に傾く「安倍外交」を危ぶむ声もあった。またアメリカは、イランの核開発問題への影響を念頭に、この問題でも安保理の一致を最重要視しており、日本の強硬姿勢に「利用価値」はあっても、中国の拒否権行使を惹起するような強行採決に突き進む考えは、まずなかったと見られる。しかし国内ではこの対応によって安倍が一層存在感を増したには違いなく、「ポスト小泉」の筆頭という地位を固めることになった。[48]

小泉首相の「本土移設」

一方で沖縄基地問題である。小泉首相は二〇〇四年九月、日米首脳会談で沖縄の基地負担軽減を提起し、ブッシュ大統領から「効率的な抑止力を維持しつつも地元の負担の軽減につながるよう努力していきたい」との発言を引き出した。さらに小泉は翌一〇月には講演で、沖縄の米軍基地の日本本土移設を進める方針を表明して「〔沖縄以外の〕自治体が〔基地の移設受け入れを〕OKした場合には日本はこういう考えを持っているということで、米国と交渉する」と述べ、さらに「沖縄以外も、少しは「自分たちも〔基地を〕持っていい」という責任ある対応をしてもらいたい」と踏み込んだ(49)。

これと前後して小泉は外務省と防衛省に対して、沖縄の海兵隊を念頭に、「〔日本本土で〕受け入れてくれる自治体に移すことができないか」と問い、「沖縄に限らず、米軍基地の負担を自治体は望んでいないと米国に言えばいいじゃないか」とも述べたが、従来からことあるごとにアメリカ側と米軍による抑止力の堅持を確認し合ってきた外務省では、「そんなことは言えるわけがない」という反応であったという(50)。

しかし、小泉の政治家としての主たる関心が、そこにあったわけではないのも確かであろう。本土移設や関係自治体への説得に本腰を入れる気配はなく、小泉の関心も二〇〇五年八月の「郵政解散」に至る郵政民営化に集中していくことになる。また小泉は同年一〇月の内閣改造で、防衛庁長官に「経世会のプリンス」とされた額賀《ぬかが》福志郎を起用した。橋本、小渕と、それまで経世会が強いつながりを有していた沖縄であったが、普天間返還は極めつきの難題と化しつつあった。経世会勢力の一掃をもくろむ小泉はここで額賀を充てることで、「つまずいたら、すべて額賀に泥をかぶせる」意図であったと指摘する関係者もいる(51)。

結局、小泉政権下の普天間・辺野古問題をめぐっては、二〇〇六年五月、折から進められていた米軍再編への対応も交えて新たな閣議決定が行われた。辺野古沿岸に二本の滑走路を備えた代替施設を建設するという案で、これに併せて小渕政権下の一九九九年に行われた普天間移設に関わる閣議決定を廃止することも決められた。九九年の閣議決定には代替施設の

「軍民共用」「使用期限」が明記されていた。いずれも大田を破って当選した稲嶺知事が掲げる公約であり、稲嶺にとっては代替施設を恒久化するわけではないという一線を担保するはずのものであった。しかしいずれも新たな閣議決定では削られていた。政府は米側が呑むはずがないとして、「使用期限一五年」への対応に頭を悩ませていた。新たな閣議決定という形で「使用期限」も白紙化することが意図されたのである[52]。

歴史としての小泉外交

小泉首相の在任は五年五ヵ月に及び、戦後では佐藤栄作、吉田茂に次ぎ、中曽根康弘を凌ぐ長さであった。小泉は首相の座に挑んだ自民党総裁選挙において、対抗馬・橋本の足元を切り崩すべく靖国参拝を掲げ、首相就任後にそれが中国との関係をこじらせると、今度は「ぶれない」姿勢を誇示する材料として用いた。九・一一同時多発テロを契機とするインド洋上やイラクへの自衛隊派遣、そして電撃的な北朝鮮訪問も、あらかじめ描いた大きな見取り図に基づくものというよりは、小泉の直感的な判断によるところが大きいように見える。

果たして五年五ヵ月の小泉外交の結果として形成された日本外交の姿は、小泉が思い描いたものであったのかどうか。「政局の人」と言われた小泉の主たる関心は、ほぼ一貫して経世会との権力闘争にあり、小泉外交の姿は、その副産物として「成り行き」でできあがったと見る方が妥当なのかもしれない。

第6章　迷走する自公政権——安倍・福田・麻生政権

安倍か、福田か

二〇〇六年九月に退任が決まった小泉の後継レースで、有力候補と目されたのは、ともに小泉と同じ清和《せいわ》会に属する安倍晋三と福田康夫であった。安倍は「勝利の女神には後ろ髪がない」と意欲を鮮明にしていたが、そこには父・安倍晋太郎が、自民党総裁ポストを目前に病に倒れたことから、目の前の好機を摑まねばという強迫観念にも似た思いがあった。これに対して福田も小泉政権下で軋んだアジア外交の立て直しに意欲を見せた。(1)

ところが福田は結局七月下旬になって、「僕は最初から出るとは言ってない。年も年だ」と不出馬を明言した。安倍の強硬な外交姿勢に危機感を募らせていた福田は、ある時点まで出馬に意欲を持っていたと見られる。しかしアジア外交の転換を福田に期待する声が高まると、「〝靖国神社選挙〟の構図になるのは一番困る」と漏らしていた。(2)「安倍君は、おれの発言に必要以上に反応するんだ。心配なんだ」と言う福田は、総裁選が外交論争になることは

「国論分裂」という意味で好ましくないと判断したのであろう。

このとき福田は、「僕はナンバー2、スペア（予備）だ。トップが倒れたときには代替できるかもしれない。思想は全然違うが、そういう人がいなきゃ、党としても危うい」と口にしていた。まさか、一年あまり後にそれが現実になるとは、当人も予想していなかったであろう。

他方で政権戦略を練る安倍は靖国神社参拝について、「中国の言うことを聞いて参拝しないというのは主権国家としてあってはならないことだ」と周辺に語る一方、参拝自体よりも、小泉のような参拝の「劇場化」が日中関係の障害になっていると捉えた(3)。そこでブレインを交えて考えられたのが、安倍が首相就任前に密かに参拝を済ませ、それをリークして報道させた上で事実関係の有無を含めてコメントしない。そしてこの先も「参拝するかしないか、いつ行くか、行かないか、明言するつもりはない」という「あいまい戦略」であった(4)。このシナリオに基づいて安倍は官房長官在職中の四月一五日に極秘に参拝し、そして福田が不出馬表明をした後の八月四日、「安倍氏周辺が明らかにした」として、各紙で四月の安倍参拝が報道された。

電撃的な訪中、訪韓

福田不出馬で安倍は圧倒的な本命となり、二〇〇六年九月二〇日の自民党総裁選で圧勝して同二六日に首相に就任した。衆議院初当選からわずか一三年、五二歳という戦後最年少かつ、初の戦後生まれの首相誕生であった。政権発足直後の支持率は小泉や細川につづく高水準で、五年五ヵ月ぶりの首相交代への高揚感、そして安倍の若さに対する期待の表れであった。

その直後に一〇月八日からの安倍首相の中国、韓国訪問が発表された。「タカ派」と見られた安倍が最初の訪問先に中韓を選んだことは、驚きをもって受けとめられた。それは新政権発足を機に、行き詰まったアジア外交を鮮やかに転換して見せるねらい澄ました戦略であった。民主党は「アジア外交不在」を攻撃しており、それを無力化する効果も期待できた。安倍は「中曽根首相の電撃訪韓のイメージが頭の中にあった。政権のスタートに当たって近隣外交を覆ったムードを変えたいと思った」とねらいを振り返る(5)。中曽根は一九八二年に首相に就任した直後、当時、安全保障が絡んだ借款供与問題で関係がこじれていた韓国を訪問して関係を改善し、これを歓迎するアメリカへの手土産にして日米関係も固めるという外交を展開していた。

これに対して今回の安倍は中韓二ヵ国への訪問である。安倍は「韓国とは価値観を共有する友好国だ。共産党による一党独裁の中国とは違う」と周囲に語るなど、中韓に異なる評価を与えていた(6)。その一方で韓国の盧武鉉大統領は、歴史問題などで厳しい対日姿勢をとっていた。安倍政権発足から間もない一〇月一三日には、その盧武鉉が訪中する予定であった。

首脳会談に臨む（左から）盧武鉉韓国大統領、温家宝中国首相、安倍首相（2007年1月）

中韓首脳会談で靖国参拝や歴史認識問題が取りあげられれば、中韓による「安倍包囲網」という構図ができかねない。ではどうするか。

安倍から外務事務次官の谷内正太郎に下された「特命」は、「（中韓会談予定日の）一三日より前に、（安倍の）中韓訪問を設定するように」というものであった。これを実現するために谷内は、韓国よりも中国との折衝を優先した。中国は靖国に関する安倍の「あいまい戦略」を警戒し、今後の参拝見送りを安倍訪中の条件として求めていた。谷内のねらいは、中国が安倍訪中を受け入れれば、孤立を恐れる韓国も応じるだろうという読みであった。結局中国は安倍が「参拝はしないと受け取れるような表現」を用いることで妥協し、安倍訪中が決まり、つづいて訪韓も決まった。

中国側にとっては、靖国参拝について明言を避ける日本首相の訪中受け入れは、リスクを孕むものであったが、胡錦濤指導部はあえてそのリスクをとった。安倍の訪中スケジュール初日は中国共産党中央委員会総会の開幕当日となったが、それは胡錦濤政権の対日関係改善に向けた強い意志を中国内外に印象づけるものであった。胡錦濤政権には、靖国参拝をめぐって小泉政権との間で生じた異常な事態の再現は避けたいという判断があったと見られる。[7]

この間、自民党と引きつづき連立を組む公明党の支持母体・創価学会の池田大作名誉会長が安倍、そして駐日中国大使の王毅《おうき》と立て続けに会い、日中関係の安定を唱える一幕もあった。[8] 安倍は訪中を前にした国会答弁で、村山談話や河野談話について踏襲すると明言したが、これも中韓への訪問を前にした環境整備と見られた。

日中関係の大幅改善

一〇月八日、安倍は日本の首相として五年ぶりに北京を訪れ、胡錦濤国家主席との会談では、日中に「戦略的互恵関係」を構築することで合意した。また安倍と胡との共同記者発表では台湾問題への言及がなかったが、日本外務省幹部が「中国が外交文書で台湾に全く言及しなかった例を知らない」と言うほど異例のことであり、「親台湾」と見られた安倍に対する中国側の配慮とも見られた。谷内は、中国側がこの首脳会談にかけた日中関係打開への思いをひしひしと感じたという。[9]

訪中を終えて韓国に向かう安倍に知らされたのが、北朝鮮がかねてから予告していた核実験の実施に踏み切ったとの一報であった。ソウル到着後の盧武鉉との会談でも真っ先にこの問題が取りあげられ、「断固とした姿勢で対処すべき」と一致したが、一方で盧武鉉は靖国、歴史教科書、従軍慰安婦について会談の半分近くを割いて言及した。

民主主義など「価値」を重視する外交を提起した安倍首相であったが、政治体制の異なる中国とは大幅な関係改善がなされた一方で、韓国とはさほどでもないという結果は、その種のキャッチフレーズと実際の外交との整合は容易ではないことを予感させるものであった。

その後、日中間では翌二〇〇七年四月に温家宝首相が「氷を溶かす旅」として来日した。温は中国でも同時中継された国会での演説で、「中日国交正常化以来、日本政府と日本の指導者は何回も歴史問題について態度を表明し、侵略を公に認め、そして被害国に対して深い反省とおわびを表明しました。これを、中国政府と人民は積極的に評価しています」と明言した。中国の世論では日本が過去の侵略を認めず、中国への謝罪も拒んでいるという認識が一般的であることを考えれば、温の演説は画期的であった。温はさらに、「中国の改革開放と近代化建設は日本政府と国民から支持と支援をいただきました。これを中国人民はいつまでも忘れません」とODAを含む日本の対中支援に対し、かつてないほど踏み込んで評価をした。

演説後の歓迎会で温は、国会演説の中継を中国で見た九〇歳近い温の母が「『心を打つ話だった』と言ってくれた」と語り、安倍も「温首相の演説は、歴史に残る素晴らしいものだった」と応じた。温はこの訪日で天皇との会見、国会での演説、そして創価学会の池田大作名誉会長との会談などを希望していずれも実現したが、それらは中国における温の権力基盤を強める効果も期待してのものと見られた。安倍と温の首脳会談では、大規模な青少年交流や人民解放軍の軍艦来日など安全保障交流の強化などが合意され、同年一一月には中国の駆逐艦が、人民解放軍の軍艦として初めて日本を訪問した[10]。

第一次安倍政権は、このように小泉時代に悪化した日中関係を大幅に改善したことは間違いない。結果として一年あまりの短命に終わった第一次安倍政権が残した最大の外交成果ともいえる。歴史問題などで対中強硬派だと見られた安倍だからこそ、日本国内の保守派の不満を抑えることができたとの評価も見られた。しかし一方で安倍はのちに、第一次政権で靖国参拝を控えたことを「痛恨の極みだった」と述べ、首相に再登板した後の二〇一三年一二月に参拝する。第一次政権では年来の主張を抑えて参拝を控えたにもかかわらず、結局は短命に終わった経験が、安倍の胸中で「教訓」として作用したのであろうか。

日印、日豪、「自由と繁栄の弧」

第一次政権で安倍は対中関係改善を進める一方、「価値観を共有する」と位置づけるインドや豪州との関係深化に注力した。両国首脳との相互訪問を通じてインドと「戦略的グローバル・パートナーシップ」を打ち出し、豪州とは「安全保障協力に関する日豪共同宣言」を発表したが、後者は日本がアメリカ以外の国と行った初めての安全保障面における共同宣言であった。このような動きが「対中包囲網」という色彩を帯びることは否めず、中国も一定の警戒感を示したものの、それを対日関係改善に影響させることはなかった[11]。

発足以来の安倍政権の外交について、韓国はついて来ざるを得ないと見てまず中国との関係改善に乗り出し、次に「中国だけが主要国ではない」と見せつけるため、豪州やインドとの関係も強調する。「次の手、さらにその先も読む棋士のようだ」とその戦略性を評価する向きもあった。[12] だがインドや豪州が、安倍政権が考えるような対中戦略を共有した上で対日提携を進めたのかといえば、どうであろうか。また日中関係改善は安倍の「あいまい戦略」を受け入れるリスクをとってでもそれを推進した胡錦濤政権のイニシアチブが主たる要因であったと見える。

第一次安倍政権のアジア外交は、暗礁に乗り上げていた対中関係を改善する一方、小泉時代に顕著となったASEAN＋6路線、すなわちインドや豪州を引き込んで対中バランスをとろうとする志向性が、一層強くなっていた。そこではASEANの存在感はますます薄くなり、日中による綱引きの対象と見なされがちであった。

また外相に就いた麻生太郎は「自由と繁栄の弧」を提唱した。民主主義や法の支配を重視する「価値外交」を、ユーラシア大陸の外周に位置する東南アジアから中央アジア、東欧などを結ぶ「弧」に向けて展開するという趣旨である。小泉政権下では、「ワンフレーズ」と言われた小泉のスタイルもあって、この種のキャッチフレーズが外交で語られることは希であった。逆にそれらが百花繚乱のごとく先行する第一次政権期の安倍外交であった。

こだわりと摩擦

安倍の政界入りの第一歩は父・晋太郎の秘書であった。その安倍晋三が出会ったのが北朝鮮による拉致問題である。安倍は「わたしを拉致問題の解決にかりたてたのは、なによりも日本の主権が侵害され、日本国民の人生が奪われたという事実の重大さであった」と語り、それを看過しがちであった外務省を「つねに相手のペースをくずさないように協力して相撲をとれば、それなりの見返りがある。それを成果とするのが戦後の外交であった」と批判する。後に安倍の盟友となる菅義偉《すがよしひで》とも、菅が対北朝鮮強硬策を唱えていたことが接近の契機であった(13)。

安倍が属する清和会（福田赳夫が創設）は、かつては反共色の強い「タカ派」として知られていた。しかしながら同派閥の小泉や福田康夫にはその種の色合いは薄く、事実上の派閥オーナーであった森元首相にしても「平和憲法は守るべきだと思います」と語り、安倍については「右翼ではない。いい意味での新人類なんですよ」「〔新人類とは〕単純に戦後生まれの新しい若者のこと」と評する(14)。

安倍が首相に就任すると、歴史問題などで強硬な「安倍カラー」は、ときに現実の日本外交に波乱を引き起こしかねないものとなった。安倍は二〇〇七年三月の参議院予算委員会における答弁で、従軍慰安婦問題について「官憲が人さらいのように連れて行く強制性はなかった」「間に入った業者が事実上、強制していたケースもあった。広義の強制性はあったのではないか」との見解を示した。この安倍の「反論」は、米メディアで人権感覚の問題として批判的に取りあげられ、中国、韓国、台湾、フィリピンなどから批判や河野談話の継承を求める声明が相次いだ。

当初、安倍はさらに反論を重ねる用意をしていたが、シーファー駐日米大使は記者団に対して「この問題の米国での影響を過小評価するのは誤りだ」と述べ、裏面では日本政府高官に対し、次のような強い警告を伝えていた。「このままの状態が続けば、(米)国内の世論もあり、われわれはもう日本を擁護できなくなる」「このままでは、米国として北朝鮮の拉致問題で日本を支援できなくなってしまう。拉致問題も、同じく人権問題として認識されている[15]」。

安倍は首相就任後、慰安婦に関わる強制性を「狭義」「広義」と使い分けることによって、日本国内保守派への配慮と、海外への対応を両立させようとしていたが、それが行き詰まった形であった。四月下旬に安倍の訪米が予定されていたこともあり、安倍はブッシュへの電話で「真意」を説明し、訪米時には議会指導部に対して慰安婦への同情とお詫びを表明するなど、対応に追われた。

そもそも安倍外交は民主主義や人権など「価値」の重視を掲げたが、それでは過去の日本の戦争について、人権という判断基準からどう向き合うのか。「安倍カラー」に潜む矛盾が日本外交に影を投げかけた一幕であった。

順風からの転落

安倍首相は二〇〇六年一一月中旬にはハノイでのAPEC首脳会議に参加した。ブッシュ、胡錦濤、盧武鉉、ハワード豪首相らとの会談をこなし、各国とも日本の新首相への関心は高かった。中でもロシアのプーチン大統領はこのときの会談で「お父様（晋太郎）が外相の時に旧ソ連の日本との関係発展のために大きく貢献してくれたことをよく知っている。ご家族の伝統を継承していることを願う」と安倍に語りかけた。

中曽根政権で長く外相を務めた安倍晋太郎は一九九〇年一月に訪ソした際、ソ連のゴルバチョフ大統領に「桜の咲く頃においで下さい」と初訪日を呼びかけ、翌年四月に訪日が実現した。しかしそのとき晋太郎は重い病に侵されていた。歓迎昼食会への出席を断念した安倍のために数分間、会見が用意され、晋太郎が「桜の花が立派に咲きましたね」と語りかけると、ゴルバチョフは「お目にかかれてうれしい。私たちで始めた事だから」と笑みを返した。

次期首相候補の呼び声も高かった晋太郎であったが、再起不能とみてとった周辺が、最後の晴れ舞台を設けたのであった。晋三は「父は痩せ細ったからだをふくよかに見せるため、スーツの下に下着を二枚重ね、そのあいだに詰めものをして病院をでた」と、その様子を振り返る。その一月後に晋太郎は逝去した。父・晋太郎に触れたプーチンの言葉は、安倍首相の琴線に触れるものだったのであろう。第二次政権にもつづく安倍とプーチンとの関係は、ここに始まった[16]。

しかし結果として第一次安倍政権のピークはこの前後であった。安倍のように前政権の後継者として首相に就いた場合、前政権からの継承と変革のさじ加減はきわめて重要なものとなる。アジア外交における小泉時代からの転換を得点とした安倍は、内政では小泉政権下で郵政民営化法案への反対を貫いて自民党を追放された平沼赳夫、野田聖子らの復党を進めた。しかしこの措置は、世論からは「小泉改革」からの後退だと受けとめられ、政権支持率は急落して五〇％を割り込んだ。

「小泉の後継者」、「保守のプリンス」として颯爽と登場した安倍だが、第一次政権が一年の短命に終わった理由には、相次ぐ閣僚のスキャンダルや「消えた年金」と報じられた年金記録問題などがあるが、「お友達内閣」と揶揄された政権内における統制の緩さや乱れが根本にあったという指摘は多い。外交・安全保障政策で官邸に司令塔機能を持たせるとして、安倍の肝煎りで検討が進められた国家安全保障会議（日本版NSC）構想をめぐっても、塩崎恭久《やすひさ》官房長官と、安倍が小泉からの強い推薦で安全保障担当首相補佐官に迎え入れた小池百合子との対立に加え、外務省と防衛省との縄張り争いも重なって法案成立に至らず頓挫した[17]。

「テロとの戦い」で退陣

安倍政権は逆風のまま二〇〇七年七月二九日の参議院選挙を迎えた。自民は大敗し、参議院第一党の座を小沢率いる民主党に明け渡す結果となった。ねじれ国会の出現で、政権運営は一気に厳しいものとなった。それでも安倍は「私の国づくりは、まだスタートしたばかりだ」と政権に踏みとどまる意向を示し、九月七日にはシドニーで開かれたＡＰＥＣ首脳会議に出席した。

このときブッシュとの日米首脳会談も行われたが、日本側では九・一一後の対テロ戦争を受けて制定されたテロ対策特別措置法が、一一月一日で期限切れを迎えようとしていた。それまでも延長を繰り返してきた同法だが、今回、与党は自民大敗の結果、参議院で過半数を失っている。安倍はブッシュに対して、この特措法に基づいて行われているインド洋上での海自の給油活動について、その継続に「最大限の努力」をすると約束した。そして会談後の記者会見では給油活動の継続について「国際的な公約となった以上、私には大きな責任がある。職を賭して取り組む。（できなければ）職責にしがみつくことはない」とまで踏み込んだ。安倍の意気込みとは裏腹に、退陣を示唆する発言によって政権の求心力はさらに低下した。

これに対して民主党の小沢代表は、海自の給油活動は国連決議に基づくものでなければ対米支援にすぎず、集団的自衛権の行使を禁じた憲法に抵触すると主張して、その延長に反対する姿勢を明確にしていた。米側も民主党との接触に乗り出し、シーファー米大使と小沢が会談したが、小沢は「日本の直接の平和、安全と関係ない区域に米国や他の国と部隊を派遣して、共同の作戦をすることはできない」と述べた。(18)

民主党の姿勢は固いと見た政府・与党は、テロ特措法の延長よりも新法制定の方が早いと判断し、期限付きの新法を国会に提出する準備を進めた。安倍首相が突如辞任を表明したのは、その最中の九月一二日であった。安倍は二日前には臨時国会で所信表明演説を行ったばかりで、この日も衆議院の代表質問に出席する直前であった。安倍本人から辞任を電話で伝えられた前首相の小泉は、「混乱を最小限にするように」とだけ伝えて電話を切った後、「驚いたな。前代未聞だな」とつぶやいたという[19]。

安倍は辞任の理由として、海自給油活動の延長をめぐって小沢代表に党首会談を打診したものの断られたことを挙げ、「私が総理であるということで、野党党首との話し合いも難しい状況が生まれている」「テロとの戦いを継続させる上において私はどうすべきか……新たな総理の下でテロとの戦いを継続していく。それをめざすべきではないか」と述べた[20]。

しかし、新法提出や衆議院での三分の二以上の再可決という手段をとることによって、給油継続は可能であり、また参院選での敗北ではなく、対米公約を理由にした辞任にも疑問と批判が集まった。いずれにせよ、要するに日米同盟安定化のために首相は交代すべきというのが安倍の説明であった。

実際には安倍が自身の体調悪化で、もはや国会審議に耐えられないと判断し、辞任の大義名分にテロ特措法の期限切れを用いた面が強かった。安倍周辺は水面下で内閣法制局に対して、首相臨時代理を立ててしばらく入院することが可能か打診をしたが、首相が死亡したときか、人事不省に陥ったときだけ可能であり、今回は該当しないとの返事であった。万策尽きた安倍は小沢に上記の直談判を申し入れ、それが拒否されたことを辞任の理由に用いたのである。

「全面突破全面展開を欲張るのではなく、戦略的に優先順位をつけていく老獪さが必要だったかもしれません」と自らの政権を省みた安倍であったが、辞任の時点で五三歳と若く、過去に復権をねらった田中角栄や竹下登と異なり、スキャンダルに絡んだ退陣ではなかったことが、その後の首相再登板を可能にしたともいえる(21)。

「価値外交」を掲げた第一次安倍政権であったが、結果的には中韓との関係修復が最大の成果となった。戦後日本外交に希薄だと言われる理念や戦略を濃厚に漂わせた第一次安倍政権であったが、それを現実の外交に持ち込むことがどこまで妥当であり、外交として有効なのか。同政権が残した問いであった。

福田康夫政権と「ねじれ国会」

安倍首相が退陣を表明すると、最大派閥となっていた清和会が福田康夫の擁立でまとまり、九月二五日には首相に選出された。父である福田赳夫が首相に就いたのと同じ七一歳。「少しは安定感があるとか、年を取っていてあまり変なことなどしないだろうとの安心感かも知れない」と本人が述べたように、小泉以降の喧噪に疲れ、「静かな政治」を求める党内の大勢に押し上げられた形であった。[22]

しかし福田政権は、参議院で多数派を持たない「ねじれ国会」を抱えてスタートすることを余儀なくされた。その中でも差し迫った課題は、安倍政権の命脈を絶ったともいえるテロ特措法の延長問題であった。時限立法の期限が一一月一日に迫る中、民主党の反対によって期限切れと海自のインド洋からの撤収は不可避の情勢であった。福田は後日、小泉後には見送った自民党総裁選挙への出馬に踏み切った理由として、テロ特措法の継続を挙げている。テロ特措法は、九・一一後にブッシュ政権が呼びかけた「テロとの戦い」に対する小泉政権の応答であり、当時、福田は官房長官であった。その期限が切れ、見通しが立たない状況を打開せねばという使命感が大きかったというのである。[23]

政府・与党内では海自の給油活動を速やかに再開するための新法の検討が進められた。民主党からの批判も考慮して、海自の活動内容は他国艦船への給油・給水に限られた。また国連安保理では海自などが参加する多国籍軍による海上阻止活動に対して謝意を表明した安保理決議一七七六が採択されたが、これは「実質的には民主党対策」(外務省幹部)として、日本が関係国に働きかけたものであった。[24]

小沢一郎の国連中心主義

これに対して民主党を率いる小沢は、「我々は(給油活動が)憲法上許されないという考え方だ」と、妥協の余地を見せなかった。また小沢は月刊誌『世界』に「今こそ国際安全保障の原則確立を」と題して寄稿し、日本の国際的な安全保障への関与は、対米関係ではなく国連中心主義という原則に沿ったものであるべきだと主張した。そして「私が政権を取って外交・安全保障政策を決定する立場になれば、ＩＳＡＦ〔国際治安支援部隊〕への参加を実現したい」と踏み込んだ。

　ＩＳＡＦは二〇〇一年一二月の国連安保理決議に基づいて設置されたアフガニスタンの治安維持を支援する部隊である。ＮＡＴＯの指揮下で参加各国の部隊が治安維持や武装集団の解体などを行っていた。また小沢はこの論考において「国連の平和活動は国家の主権である自衛権を超えたものです。したがって、国連の平和活動は、たとえそれが武力の行使を含むものであっても、日本国憲法に抵触しない、というのが私の憲法解釈です」と湾岸戦争後以来の持論を展開した[25]。

　小沢の国連重視には、国連それ自体に対する信頼というよりは、日米同盟の代替という色合いが強いようにも見える。日米同盟に対抗するための「国連中心主義」ともいえようか。しかしアフガニスタン情勢の泥沼化を背景にＩＳＡＦの活動は危険が高いと見られており、小沢の主張に対して民主党内では戸惑いも広がった。小沢も「ＩＳＡＦは軍事部門だけでなく、民生活動がたくさん入っている」「世界で《ママ》武力でわが国に期待することはない」と、民生部門への参加へと力点を移行させた[26]。

一〇月初旬、国会で海自の活動をめぐる論戦が始まると、民主党は海自の給油が本来のアフガニスタンではなく、米軍のイラクでの活動に転用されたという疑惑を取りあげ、政府答弁の食い違いなどを激しく追及した。そのような中、退任した前防衛事務次官の守屋武昌《もりやたけまさ》が、在職中に防衛専門商社幹部から二〇〇回以上のゴルフ接待など、長年に及ぶ濃密な接待を受けていたことが明らかになり、防衛装備品の調達に影響したのではないかと大問題になった。

民主党はこれに乗じて対決姿勢を強め、海自による給油活動継続の行方は、ますます不透明なものとなった。自民党内では、三分の二での衆院再可決を視野に入れるべきだとする意見も出たが、早期解散を忌避していた公明党は、民主党が参議院での問責決議で対抗した場合、国会空転から解散・総選挙になるシナリオを恐れ、再可決に慎重であった(27)。

「大連立構想」の浮上と頓挫

このような中、突如として浮上したのが大連立構想であった。一〇月三〇日、福田首相と小沢代表の党首会談が設定された。両者は「私は小沢さんと個人的に話したことはない。エレベーターの中ですれ違うくらい」(福田)という関係であったが、元首相の森喜朗などを通じて互いの意向を探り合っていた。この会談で福田は「国政を預かる首相としてお願いする。何とか給油法案に協力願えないだろうか」と切り出した。小沢は「新テロ法案は認められない」「あなたも、もっと原理原則を作ったらいかがか。アメリカに言われたら、何でもやるというのはまずい」と厳しい姿勢をとる一方で、自衛隊を海外に派遣するための恒久法制定については協力する可能性を示唆した。福田はさらに大連立を示唆し、これに対して小沢はその際には公明党を外すことを迫ったが、福田はこれを拒否した[28]。

福田と小沢は一一月二日、再び会談を行った。福田は前日に、テロ特措法の期限切れに伴って海自艦艇に対してインド洋からの撤収命令を出していた。この会談で小沢は恒久法について、「〔自衛隊の〕派遣は国連決議に基づくものだけに限ると決めて欲しい」「それさえ決めてくれれば連立したい」と踏み込んだ。小沢は「特定国の要請で派遣はできない」「アメリカの言いなりにはならない」とも述べたという。この小沢の主張に対して政府・与党側では、「国連決議に基づかない活動は、改めて特別措置法を作ればいい」との解釈であった[29]。休憩後、福田が小沢の主張に沿ったメモを手渡すと、小沢は「これで決める。（連立参加で）私が党内をまとめます」と明言し、「大丈夫ですか」と念を押す福田に「絶対にまとめます」と強調した[30]。

しかし小沢が民主党本部に戻ると、事前に構想を知らされていなかった党幹部はこぞって反発した。結局、小沢は福田に電話を入れて「せっかく誠意ある対応を頂いたが、結果としてできません」と断り、大連立構想はあえなく頓挫した[31]。

一方、連立与党の公明党は恒久法について「簡単な話ではない」（太田昭宏代表）と慎重姿勢であった。公明党にとっては大連立構想そのものが、それが実現すれば存在が埋没しかねないという意味で「冷や汗もの」であった。[32] 同様に恒久法に消極的であったのは民主党内の旧社会党系で、「大連立が実現すれば、我々は切り捨てられるのではないか」と疑心暗鬼が広がった。[33]

安保政策を軸に大連立が画策され、公明と民主党内の旧社会党系がそこから外されることを危惧するという構図は、自社さ政権時代に中曽根元首相などが「黒幕」となって浮上した保保連合を想起させる。福田・小沢の大連立構想に際しても中曽根は、「仲介人」であった渡邉恒雄（読売新聞主筆）と緊密に意見交換を行っていた。[34] 結果として大連立構想が頓挫した後も、政界では「大連立の話はまた出てくる」（小泉純一郎）との観測は絶えなかった。[35]

しかしその後、小沢は福田政権との対決色を強める方向を選び、海自の給油活動再開を可能にするための新テロ特措法は、衆議院で三分の二以上の再可決によって成立した（二〇〇八年一月一一日）。ちなみにこのとき小沢は議場から退出して採決を棄権し、批判を浴びた。結果の分かっている採決よりも、大阪府知事選挙の応援演説を優先したという理由であったが、対米関係で旗幟を鮮明にする決定的な局面を回避しているのではないかという指摘もあった。[36] 他方でシーファー駐日米大使は、「小沢代表にはもっと大局的にものを見て、給油活動継続が国際社会だけでなく、日本の国益になるものと理解してもらいたい」と述べた。この局面で米側に芽生えた民主党への不信感が、その後誕生した民主党政権でも尾を引くことになったという指摘もある。[37]

「共鳴（シナジー）外交」

安倍がキャッチフレーズを量産したのに比べ、その種のものを好まなかった福田だが、その例外が「共鳴（シナジー）外交」であった。福田は初の所信表明演説（二〇〇七年一〇月一日）で「日米同盟強化とアジア外交推進の共鳴」を掲げ、翌月の訪米時にはそれを「シナジー外交」とした。「共鳴」に「相乗効果」を意味する「シナジー（synergy）」という言葉を充てたのは、対米も対中もという福田の意気込みであった。[38]

福田の「共鳴外交」の背後にあったのは、日米や日中を単に二国間関係で見るのではなく、日米中という多国間、あるいは地域秩序の観点で捉える視座であった。福田は小泉後を争う自民党総裁選への出馬が囁かれていた二〇〇六年六月、講演で日米中関係の今後について、「米中関係は強化されると思う。日中関係が悪ければ日本が米国のお荷物になってしまう。アジア諸国も中国寄りになりかねない。日米、日中の両方をしっかりやることがアジア地域の安定につながる」と強調し、その前後には日本外交の課題について「台頭する中国との関係をどうするか、というのが一番大きい」と語っていた。[39]「共鳴外交」とは、中国台頭という地域秩序の大変動に対する福田の対応策なのであった。

その中国との関係は、安倍政権下でも改善基調にあったが、福田政権の発足に伴って改善の気運が一層強まった。福田は首相就任直後の二〇〇七年九月二八日に、中国の温家宝首相と電話会談を行ったが、「日中首脳の電話会談は史上初」（外務省幹部）であった。だが官邸も外務省もこれを喧伝することを控えた。対米関係を考慮して日中ばかりに光が当たることを避ける福田の意向があるものと見られた。(40) この一件からもうかがえるような、人気取りを排した玄人的なバランス感覚が外交通・福田の真骨頂であった。

福田はその年の一二月末に訪中したが、中国側は破格の待遇で福田を迎えた。かねてから対日関係改善志向を持つ胡錦濤政権が、福田の首相就任に大きな期待を寄せた表れであった。歓迎晩餐会は胡錦濤の主催であったが、中国側トップによる日本首相に対する晩餐会は中曽根訪中以来二一年ぶりであり、胡が自ら福田を会場の車寄せまで見送ったことも日本側を驚かせた。

この福田訪中と前後して、これで最後となる新規対中円借款の供与が決定された。対中円借款をめぐっては小泉政権下の二〇〇五年、中国の急速な経済発展などを背景に、二〇〇八年の北京オリンピックを区切りとして、円借款の新規供与終了が日中間で合意されていた。一九七九年に始まった対中円借款は総額三兆円を超え、中国の主要インフラの整備に少なからぬ意味を持った。中国の鉄道電化総延長の二六％、一万トン以上の船が接岸できる大型岸壁の一一％は対中円借款で建設されたという数字もある。(41) また中国は借款返済を滞らせるようなことはなく、近年では中国からの多額の返済が、日本の新規対外援助の財源となっている。この後も中国に対する技術協力などは継続されているが、「援助する側、される側」という構図は、もはや日中関係に適さない時代となったことは明白であった。

胡錦濤の来日

翌二〇〇八年五月には胡錦濤が来日した。中国国家主席の来日は、一九九八年の江沢民以来である。胡錦濤は自らの訪日を「暖春の旅」と呼んで未来志向を強調した。福田と胡は会談後、日中が「戦略的互恵関係」を包括的に推進することを掲げた共同声明に署名し、日本は中国の発展が国際社会に好機をもたらしていること、そして中国側も戦後日本の平和国家としての歩みを高く評価した。

それとは対照的に、この時期の日中関係は波乱含みであった。二〇〇七年末から〇八年初頭にかけて、日本国内で中国製造の冷凍餃子《ぎょうざ》を食べたことによる中毒が続発し、餃子から殺虫剤が検出された。これに対し、中国側は中国で混入された可能性は低いと主張して日中間の外交問題にまで発展した。また〇八年三月にはチベット自治区や四川省などでチベット族と中国治安当局との大規模な衝突が相次ぎ、先進各国の首脳は同年夏に開催予定であった北京オリンピック開会式への出席の是非を再検討する事態となっていた。

同年六月には、日中間の懸案となっていた東シナ海のガス田問題について、三年八ヵ月に及ぶ協議を経て合意が成立した。その内容は、東シナ海における日中の中間線をまたぐ区域でガス田の共同開発を行い、中国が先行開発しているガス田については日本側が資本参加を

共同記者会見を終え、胡錦濤中国国家主席（左）にイヤホンを外すよう指さす福田首相（2008年５月）

行うというものであった。この問題の根底にあるのは、東シナ海におけるＥＥＺについて、日本が日中の中間線を境界として主張するのに対して、中国側は中間線から大きく日本側に張り出した大陸棚の端までが自国の経済水域だとしていることにある。合意ではこの点について棚上げをして両国が歩み寄った形であった。

しかしその後、日本側が共同開発の早期実施を繰り返し求めたのに対し、中国側の動きは鈍かった。中国国内では資源開発に関連する「利益集団」が、ナショナリズム感情と結びついて日中の共同開発に強く反発したものと見られた。中国海監総隊の艦船が尖閣諸島周辺の日本領海に数時間にわたって侵入するなど、胡錦濤指導部の対日協調路線に対する妨害行動と見られる動きも生じた(42)。

こうして共同開発で足踏み状態がつづく中、菅直人《かんなおと》政権下の二〇一〇年九月に尖閣諸島付近で中国漁船が日本の海上保安庁の巡視船に体当たりする事件がおき、漁船船長の処遇をめぐって日中は激しく対立、ガス田の共同開発は事実上、暗礁に乗り上げることになった。

このように福田と胡錦濤は、日中双方の相手に対する国民感情が良好とは言い難い中で、歩調を揃えて関係改善を進めようとした。しかし胡はこれに反発する国内の勢力を十分に制御することができず、ねじれ国会を抱える福田政権も脆弱であった。

歴史や領土が絡む日中関係には、もともと双方のナショナリズム感情を刺激する難しさがある上に、冷戦後には「対ソ連携」という「重し」もとれた。また、かつてであれば中国側では毛沢東や鄧小平、日本側では自民党内で盤石の基盤を有した田中派・竹下派が、それぞれの国民感情を政治化させずに日中関係の安定を演出した。しかしそれは中国のカリスマ的指導者、そして日本側では田中派・竹下派による二重支配という、中国共産党の一党支配と相似形ともいえる権力の継続性があって初めて成り立つものであった。それらの条件を欠く中で日中関係の安定化を試みたのが福田と胡錦濤であり、冷戦後の日中関係において、双方の指導者がともに熱心に関係改善を志向したという点では、このときが「最良の組み合わせ」であったといえよう。しかしその組み合わせをもってしても、いかなる形で冷戦後の日中関係は安定するのかという問いは残されたままとなった。一方で福田は首相退任後も、中国側が最も信頼する日本の有力政治家として、日中関係の下支えに動くことになる。

「太平洋を内海に」

福田首相は二〇〇八年五月、「太平洋が「内海」となる日へ」と題して政策演説を行い、「新福田ドクトリン」とも目された。この中で福田は、三〇年先を展望したとき、太平洋を囲んで日本やASEAN諸国、南北アメリカからロシア、中国、オーストラリア、さらにインド、中東までが「開放」をキーワードに連なると述べ、具体的政策としてASEAN共同体の実現支持、日米同盟の「公共財」としての強化などを盛り込んだ(43)。

「内海」は「太平洋が地中海のような「内海」になるというのはどうかな」という福田の発想で生まれたというが、一方でチベット問題やミャンマーの軍政には言及せず、大規模災害時の緊急援助や鳥インフルエンザなど防疫での日本の貢献を強調した演説には、「静かな決意は……弱い決意ともとれる。発信効果に疑問符が付く」という評価もなされた(44)。

第一次安倍政権が「主張する外交」を前面に出したのに対し、「福田カラー」は包含と調和を基調とした。日本の戦後外交の系譜でいえば、環太平洋連帯構想を打ち出した大平正芳や、冷戦後にASEAN+3や人間の安全保障に注力した小渕恵三に連なるものだといえよう。だが、大平、そして小渕の時代にあっても日本はアジアにおいて突出した経済力を誇っており、それが包含路線の基盤にあった。日本の経済力がもはや圧倒的ではなくなり、一方で安全保障や人権問題の重要性が増す中、包含や調和をいかなる手段で実現しうるのか。

しかし福田はそのような問いへの答えを用意することはなかった。福田は小沢率いる民主党の追い上げが強まる中、次の総選挙における自民党の顔としては、国民的人気があると見えた麻生太郎が相応しいとして、二〇〇八年九月に辞任を表明した。

中国台頭がますます顕著になる中、パワーバランスの変容に対して「主張する外交」で対抗するのか、それともかつて日本外交の主流であった包含と調和で対応を試みるのか。安倍と福田の対照的な外交姿勢は、地域秩序の変容に日本がいかなる姿勢で臨むのかを、二つの類型として示すものであった。

麻生太郎政権の発足

福田の後を次いで二〇〇八年九月に首相に就任した麻生太郎は、この時点の自民党内で国民的人気が最も期待できる存在だと見なされていた。麻生は当初、政権発足早々の解散・総選挙を検討していた。だが九月一五日に米投資銀行のリーマン・ブラザーズが経営破綻したことをきっかけに、世界的な金融危機の様相となった。ブッシュ大統領は危機を食い止めるため、従来のG8に中国やインド、ブラジルなど新興国を加えたG20を発足させようと、G8議長国であった日本に協力を求め、麻生は最大限の協力を約束した。

麻生は「リーマン・ショック」と名づけられたこの金融危機を前に、「今は一〇〇年に一度の国際的な金融危機だ……国内的な政局の話より、国際的な役割を優先する必要性の大きさを感じさせられた」と、事実上解散を先送りした。[45]「外交と経済は麻生太郎が最も使える」とアピールしていた麻生首相は、一一月一四日からワシントンで開催された金融サミット（G20）で存在感をアピールし、解散先送りで低下した国内での求心力回復に懸命となった。

麻生は頻繁に自らが吉田茂の孫であることに言及したが、安倍晋三が祖父・岸の政治を賞揚するのに対して、麻生が「軽武装・経済優先」を内容とする「吉田ドクトリン」に言及することは少ない。麻生は一九九〇年代には「米軍占領下という限界の中で、吉田茂は、経済優先の政治を選ぶしかなかった。それを自己責任の政治へ変えるのが我々の世代の務めだ」と、「脱吉田ドクトリン」と受け取れる発言もしていたが、首相の座を手中にすると、「岸(信介)氏同様、安倍首相には保守の理念に殉じようという気概があった。それに比べれば、現実に合わせて実際に出来ることを計算する吉田茂的なプラグマティズムが私にはあった」と力点を移した。[46]

その麻生の外交における看板が、「価値外交」と「自由と繁栄の弧」であった。その発端は麻生が第一次安倍政権の外相として二〇〇六年一一月に行った演説であり、そこで麻生は東南アジアから中央アジア、東欧諸国とユーラシアの外周に沿った形で広がる国々を対象に、民主主義や自由、法の支配、市場経済など「普遍的価値」が定着する上で、日本が「伴走ランナーを務めていく」とした。

この外交路線を温めていたのは、従来の外務省が「事なかれ主義」だとして日本外交への戦略的思考の導入が課題だと考えていた当時の外務事務次官、谷内正太郎であった。谷内は日本外交の地平を広げる際に課題となったのがロシアとインドであったとし、日ロ関係については北方領土問題が解決すれば大いに可能性があるが、「それにはまず、日本が主要な

「大国」であることをロシアに再認識させる必要があると考えました」「「自由と繁栄の弧」というコンセプトの背後には「日ロ関係を何とか前進させたい」という思いを忍ばせていたのです」と振り返る。[47]

一方で「自由と繁栄の弧」は中国包囲網と見えかねないとの指摘も少なからずあり、「日本は国連安全保障理事会の常任理事国になろうと思っているが、中国なしには実現しない。あんなことを標ぼうすることに意味があるのか」（阿《あ》南惟茂《なみこれしげ》前駐中国大使）といった批判が外務省関係者からも出た。福田政権になると「福田首相は殊更口にはしないが、内心では間違いなく否定的」（外務省幹部）で、「弧」はお蔵入りとなった。[48]

首相となった麻生は、外相時代に提唱していた「価値外交」を再び掲げたが、中国が警戒感を示した経緯に配慮して「自由と繁栄の弧」への言及は控え目であった。麻生は一方で就任間もない二〇〇八年一〇月に来日したインドのシン首相とシーレーン警備など安全保障協力に関する共同宣言に調印した。日本にとって安全保障に関わる共同宣言は、それまで米国、豪州との間でしか採択しておらず、この共同宣言はインドを米豪に次ぐ安全保障協力の相手国に位置づけるものであった。併せて麻生はインドの「産業大動脈」整備の一環として、デリーとムンバイを結ぶ貨物鉄道建設に対して、単一事業としては過去最大となる四五〇〇億円の円借款供与を表明した。

また麻生首相はチェコなどを歴訪するだけでなく、ポーランドなど東欧の体制移行国の首脳を日本に招き、さらに、不安定な情勢がつづくパキスタンへの支援国会合を日本で開催するなど、「弧」に沿った外交を展開したとも見える。

日本ではもっぱら「対中包囲網」であるか否かが着目された「自由と繁栄の弧」だが、「弧」に含まれたバルト三国、東欧、中東、中央アジアの国々は、「「日本が初めて関心を持ってくれた」と非常に前向きに受け止めてくれました」（谷内）という面があるのは確かであろう(49)。世界有数の経済力や技術力を誇る日本との関係は、世界の大半を占める中小国にとっては、日本から見る以上に大きな比重を占める。橋本政権の「ユーラシア外交」や麻生の「自由と繁栄の弧」などで対象となった国々に対する継続的な目配りは、時々の政権のキャッチフレーズを超えて継続されるべきなのであろう。

北方領土の「面積等分案」

外交が得意だと自負した麻生首相は、それを政権浮揚のエネルギーにしようと試み、中でも北朝鮮による拉致問題とロシアとの北方領土問題に力点をおこうとした。官房副長官に警察庁長官経験者の漆間《うるま》巌《いわお》を起用したのは、外務省以外のルートでも北朝鮮と対話を試みること、そして退官していた谷内正太郎を政府代表に起用したのは、ロシアとの戦略的対話を期待したものとの指摘がなされた(50)。

このうち麻生政権の対露戦略の一端を垣間見せたのが、政府代表の谷内正太郎が二〇〇九年四月、『毎日新聞』のインタビューで「個人的には〔四島返還ではなく〕3・5島返還でもいいのではないかと考えている」「〔歯舞、色丹の〕2島では全体の7％にすぎない。択捉島の面積がすごく大きく、〔北方四島の〕面積を折半すると3島プラス択捉の20～25％ぐらいになる」と発言したことであった。谷内は「全体の流れの中で誤解を与えるような発言があったかもしれない」と釈明したが、麻生首相自身が外相時代に「択捉島の25％を残り3島にくっつけると、50、50の〔面積の〕比率になる」と発言しており、谷内の発言は麻生の意を受けた観測気球ではないかという見方は強かった[51]。

折しも翌月には大統領から転身したプーチン露首相の訪日が予定されていた。麻生はこの年二月にはサハリンで行われた日露首脳会談で、メドベージェフ露大統領が提起した「新たな独創的で型にはまらないアプローチ」によって領土交渉を進めることで合意していた。メドベージェフは「この問題は世界にある他の問題と同じように解決可能だ」とも発言しており、二〇〇八年に中露間でアムール川、ウスリー川沿いの国境を画定した際の「面積等分方式」を意識したものとも見られた[52]。来日したプーチンは、面積等分案も含めて「あらゆるオプションが話し合われる」と踏み込んだものの、麻生が同月、国会で「北方四島ではロシアによる不法占拠が続いている」と発言したことにロシア側が強く反発するなど、交渉推進の気運は萎んでいった。

遡ってみれば北方領土問題は、発端からして日本の国内政治上の対立を反映したものであった。一九五六年に日ソ国交回復を実現したのは鳩山一郎政権だが、吉田茂らは、仇敵である鳩山の対ソ交渉を好ましいものと捉えておらず、鳩山政権に不信感を抱いていたアメリカと歩調を揃えて四島返還の貫徹を主張し始めた。小泉政権下では「二島先行返還」か「四島一括」かで政界、外務省内の対立が表面化した。谷内は「［この］問題は元々、日ソ共同宣言ができた前後に、日本国内で意見対立があった経緯が、尾を引いていたのかもしれない」という。(53) こうしてみれば北方領土問題とは、日本の政界、外交当局内における意見と戦略が、いかなる形で収斂《しゅうれん》するかが一つの焦点であることがうかがわれる。しかし麻生政権はこの難題を収斂させるにはあまりに弱体であった。

「世界第二の経済大国」

二〇〇八年一二月一三日、福岡の太宰府で麻生首相、中国の温家宝首相、韓国の李明博《イミョンバク》大統領による日中韓首脳会議が開かれた。日中韓首脳会議は一九九九年に始まって以来、ASEAN首脳会議などにあわせて開催されていたが、初めて単体で開催されたものであった。会議ではアジア域内で金融危機が発生した際に協力を行う「チェンマイ・イニシアチブ」に基づき、日韓、中韓の間で外貨の融通限度額を引き上げること、北朝鮮の核問題に対して三ヵ国の協力が必要との認識で合意し、日中韓首脳会議を年一回、持ち回りで開催することも決めた。

単体での日中韓首脳会議が実現した背景には、三ヵ国共通の課題となった「リーマン・ショック」への対応があった。株価と自国通貨の急落に見舞われた韓国にとっては、この首脳会議で日中との外貨融通が強化されるなど具体的な成果もあった。一方で北朝鮮の核問題や領土問題では意見の食い違いも目立った。とはいえ、「3カ国は隣同士の国。（単独の首脳会議が）今までなかったのが不思議だ」（麻生首相）というのはもっともであろう。「三首脳会議が東アジアの安定装置の軸として機能していくことを期待したい」との指摘もあった。経済をはじめとする三ヵ国の共通利益を拡大する一方で、歴史や領土に関わる摩擦を極小化していく努力が、この「軸」を安定的に維持・発展させていくための要件なのである[54]。

首脳会談に臨むオバマ米大統領（右）と麻生首相（2009年2月）

アメリカでは同年一一月の大統領選挙で民主党のオバマ候補が当選し、翌二〇〇九年一月、大統領に就任した。海外の首脳として最初に公式の会談を行った麻生は、「日本人としてだけでなく、アジア人として非常に光栄に感じる。数多くの課題があるが、世界第1位、2位の経済大国である日米が手を携えて協力して取り組まなければならない」と述べた[55]。

だがその翌二〇一〇年には、日本はGDPの規模で中国に抜かれることになった。一九六八年に当時の西ドイツを抜いて以来、四二年間に及んだ「世界第二の経済大国」の地位を手放すことになったのである。それに代わる日本の新たなアイデンティティは何か。その答えを求めて新しい日本の姿を希求するかのように、各種世論調査では民主党への支持が自民党を継続的に上回り、政権交代の足音がひたひたと聞こえてくるかのようであった。

第7章　民主党政権の挑戦と挫折——鳩山・菅・野田政権

鳩山由紀夫政権の発足

衆議院四八〇議席中、三〇八議席。それが二〇〇九年八月三〇日の総選挙で民主党が獲得した議席であり、二大政党間の政権交代という意味で戦後初の本格的政権交代であった。九月一六日には鳩山由紀夫政権が発足した。民主党が参議院で過半数に満たないため、社民党、国民新党との連立政権であった。政権交代の高揚感を背景に、政権支持率は各種調査で七〇%を超えた。

首相就任から五日後、鳩山は国連総会とG20に出席するため初外遊として訪米し、併せて開かれた国連気候変動サミットでは、日本は二〇二〇年までに一九九〇年比で温室効果ガスの二五%削減を目指すと表明した。麻生政権が九〇年比で八%削減としていただけに、鳩山の演説に対して、欧米各国首脳やNPO関係者からは賞賛が寄せられたが、日本の経済界からは慎重論も出た。よくも悪くもしがらみのない民主党ゆえに打ち出すことができた数字であった。

この訪米で鳩山はオバマ米大統領との初会談も行い、オバマは劇的な政権交代を祝った。鳩山は「〔オバマとの間で〕何らかの信頼関係のきずなができたんじゃないか」と高揚感を隠さず、またオバマが「首相が一連の選挙の公約の実行について、成功を収めると確信しています」と言ったことに、「選挙で約束したことは守らなければ」との決意を深める。その一つは、結果的に鳩山政権を瓦解に至らしめる普天間飛行場の移設問題であった。(1)

「東アジア共同体」とアメリカ

鳩山は、一〇月九日には国際会議以外で最初の外遊先として韓国を訪問し、李明博大統領と会談した。鳩山は韓国を選んだ理由として、「韓国が民主主義国家ということもありますが、民族的に最も近い二つの国が過去の問題を未だに乗り越えられずに、近親憎悪とは言いませんが、本当の意味で心を打ち解け合う関係になっていません。これをなんとか解決したいということは、私にとって外交のなかで最も重くのしかかっていた」という。(2) 鳩山は同年五月、民主党代表に就任した際にも、初の外遊先に韓国を選んでいる。

鳩山は翌日には中国を訪問し、北京で温家宝首相、李明博大統領との日中韓首脳会談を行った。その際、鳩山は東アジア共同体構想を提起するとともに「(日本は) 今まで、ややもすると米国に依存しすぎていた。日米同盟は重要だが、アジアの一国としてアジアをもっと重視する政策を作り上げていきたい」と述べた。不用意な発言との指摘もあったが、「私自身、アメリカに依存しすぎてきた日本が結果として国民自身の自立心をむしばんできた可能性があるのではないかと思ってきました」という鳩山の本心であったのだろう[3]。

しかし一国の首相となればその発言は、一個人の心情の発露とは全く異なる意味を持つ。東アジア共同体という構想は以前からあり、小泉首相は東アジアコミュニティを掲げ、福田康夫首相は福田ドクトリンの延長として東アジア共同体を語った。鳩山に違いがあったとすれば、「かつて喧嘩ばかりしていたフランスとドイツが石炭・鉄鋼の共同体から、ヨーロッパ全体が二度と戦争をしないという、経済的な共同体以上の不戦共同体的な関係をつくりあげてきたことは非常に価値のある事実だと思っていました。従って、ヨーロッパでできたことが東アジアでできないはずはないだろうというのが私のそもそもの考え」（鳩山）というように、「和解」が強く意識されていたことであろう[4]。

しかし鳩山の東アジア共同体構想は、自身の思いをあまりに率直に語ったことと相まって、もっぱら「離米」の発露と受けとめられた。この鳩山発言に対してキャンベル米国務次官補は、「大統領まで報告がいくような重大問題だ。我々に相談もせずに、鳩山首相がこういう発言をするとはどういうつもりか、真意を聞きたい」と日本側当局者にまくしたてたという[5]。

このようにアメリカを刺激する一方で、「共同体」にアメリカは含まれるのかという肝心な点になると、鳩山が「米国を排除する発想は、全く持っていない」とする一方、外相に就任した当初の岡田克也は「米国も入れると世界の半分になってしまい、何が何だかわからなくなる。米国は米国でやってもらいたい」「現在の構想は米国まで含めることにはなっていない」などと繰り返した(6)。「共同体」の中身についても、鳩山がアジア共通通貨を挙げるのに対して、岡田は中国を念頭に「政治体制が異なるなかではできない」と述べるなど、民主党政権を特徴づけるバラバラぶりが早くも露呈していた(7)。

ちなみにアジア共通通貨構想も、かつて「円の国際化」に絡めて財務省の研究会が提言し、中曽根元首相を会長とするシンクタンクが二〇三〇年代の導入を目指すべきと提言するなど以前から存在していたものであった(8)。

「密約」の解明

政権交代によって自民党政権の「負の遺産」が払拭される形となったのが、日米安保などに関わる密約の解明であった。この問題をめぐっては麻生政権下の二〇〇九年五月に共同通信が、「四人の外務事務次官経験者が、核持ち込みの日米合意（密約）があると認めた」と報じ、翌月にはその一人が、「外務省内に文書があり、歴代次官が引き継いできた。外務大臣にその内容を伝達することが、秘密の義務だった」と証言していた。麻生首相は「密約はなかったということなので、私としては、改めて調べるつもりはない」と苦しい対応に終始していた。

岡田外相の指示で学識経験者による密約解明委員会が設置され、①核兵器の日本持ち込み、②日米安保条約の事前協議制度で朝鮮有事を例外とする密約、③沖縄への核の再持ち込みをめぐる密約、④沖縄返還時に米側が負担するとされた軍用地の原状回復費用を日本側が肩代わりする密約が取りあげられた。

翌二〇一〇年三月、報告書が提出され、そこでは①②④について密約が存在したと認定した一方で、③については当該文書の拘束力が不確かであることなどを理由に、「必ずしも密約とは言えない」と結論づけた。これを受けて岡田外相は「これほどの長期間にわたり、冷戦後の時期に至っても国会、国民に明らかにされてこなかったことは極めて遺憾だ」と述べ、今後は作成から三〇年を経た外交文書について、原則として公開する方針を打ち出した。

歴代の自民党首相も、密約が好ましいと思っていたわけではない。一九六〇年代に外相として核の持ち込み（イントロダクション）に関わる密約を知るところとなった大平正芳は、「車の中でしょっちゅう「イントロダクション、イントロダクション」と言っていました」「死ぬまでずっと言っていましたから」と側近は語る。「政治の実態について国民に秘密を持つというのは、そもそもだめだ」と考える大平の苦悩であった[9]。密約の解明は、過去にしがらみのない民主党であればこそ可能になったといえよう。

波乱含みの対米関係

民主党政権発足に伴って、内外から注目されたのが対米関係であった。民主党は小沢一郎代表の下で、「テロとの戦い」での対米支援に反対して自民党政権を揺さぶってきた。小沢は政権交代前夜にも、「在日米軍は第七艦隊だけでよい」と発言していた。秘書が政治資金規正法違反で逮捕されたことで小沢は退き、党代表は鳩山に交代したが、二〇〇九年八月の総選挙を前にした民主党のマニフェスト原案には、「給油活動延長反対」などが盛り込まれていた。

これに対して米側は、政権交代の可能性が高まっていることもあって民主党に懸念を伝えた。結局、「政権に就いたとたんに米国ともめ、内政に影響するのは得策でない」（民主党政調幹部）との判断で給油活動には触れないことになった。[10] そして鳩山政権発足となるが、鳩山首相が掲げた東アジア共同体は、オバマ政権が「アジア回帰」を打ち出す最中であっただけに波長のズレが目立つ形となった。

オバマは「アジア回帰」を具体化すべく、二〇〇九年一一月に日本を含めアジアを歴訪することになった。これに先だって一〇月二〇日にゲーツ国防長官が来日したが、そこで早くも表面化したのが普天間基地の移設問題であった。鳩山政権内には、オバマ来日時にはアフガニスタン支援策を打ち出すことで、普天間問題での要求をひとまずはかわせるとの考えもあった。しかしゲーツはこの問題を取り上げ、岡田外相に対して単刀直入に「既に日米間で合意したことをやってもらいたい。一三年間、議論は尽くされている」と辺野古への移設を迫った。

これに対して岡田は、対案として検討していた嘉手納統合案を提起する。「不可能だ」と言うゲーツに対して岡田は「(不可能かどうか)まず検証が必要だ」と食い下がった。一方でゲーツは、辺野古での現行案を沖合に移動することを容認する姿勢を見せた。自公政権時代には米側が頑なに拒否していた変更であり、合意への誘い水であったが、結果的に鳩山政権がそれに乗ることはなかった。(11) 難航する普天間問題をどう扱うのか、自公政権との差異化をどう図るのか。この難題について鳩山政権の首脳間で十分な議論と合意が形成されないまま、なし崩し的に対米交渉が始まってしまった形であった。

オバマ来日と普天間問題

二〇〇九年一一月一三日、オバマ大統領が来日した。日米首脳会談では、翌年の日米安保改定五〇周年に向けて同盟深化を協議することで合意し、鳩山はアフガニスタンに五年間で最大五〇億ドルの支援を行うと表明した。

普天間については首脳会談で焦点となることを回避するため、閣僚級の協議をつづけることが事務レベルで合意されていた。しかし首脳会談ではオバマからこの問題を持ち出し、「政権が変わって見直しをすることは率直に支持する……ただ基本は守るべきだ」と現行案

オバマ米大統領（左）と首脳会談に臨む鳩山首相
（2009年11月）

の微修正による決着を仄めかした上で、「検証作業が迅速に完了することを期待する」「早く結論を出したほうが、メディアからも評価される」と畳みかけた。

これに対して鳩山は「前政権の合意は重要だが、選挙で県外・国外（移設）と言ったことも理解してほしい。沖縄県民の期待も高まっている」「できるだけ早く結論を出したい」「必ず答えは出すので、私を信頼してほしい」と述べた[12]。

オバマとの会談と夕食会を終えた鳩山首相は日付の変わった一四日未明、APEC首脳会議に出席するため、シンガポールに出発した。東京に残された形のオバマは、同一四日にアジア政策の基本を表明する政策演説を行い、「米国は太平洋国家である」として日本を「アジア安定の要」であると強調した。しかしその場に肝心の鳩山の姿がないというちぐはぐな光景となった。米国内における銃乱射事件への対応でオバマの来日日程が変更になったためであったが、ベテラン政治記者は「わずか一日の日程調整がなぜできなかったのか。鳩山の周辺に有能な外交ブレーンが存在しなかったことを強く印象付けた」という[13]。

加えて鳩山は外遊の同行記者団に対して、「オバマ大統領の気持ちとすれば、〔普天間移設に関する〕日米合意が前提となったと思いたいだろうが、合意が前提なら作業部会もつくる必要がない」と語った。米政府関係者は「鳩山首相が国内に配慮しなければならないのは分かる。なら、せめて水面下で事前にそう言ってほしかった」と困惑を隠さなかった[14]。

一方で鳩山には、「米国はとにかく早く、今の計画のままやれ、の一点張りだ。だからといって米国の言うとおりにしなきゃならないということにはならない。これまでの自民・公明政権のように、米国の言いなりにはならない」と漏らしたように、発足間もない日本の新政権に対して強引に結論を強いるかのような米側の姿勢に対する不快感も生じていた[15]。

岡田外相の嘉手納統合案

現行案の微修正による年内決着で押してくるオバマ政権に対して、鳩山首相、岡田外相、北澤俊美《としみ》防衛相など鳩山政権中枢の歩調は揃わなかった。中でも政権発足当初から独自の動きをしていたのが岡田外相であった。

岡田は野党時代から嘉手納統合案に関心を示していたが、外相に就任すると「四〇〇〇億円もの建設費をかけてあの海を埋め立てるのは、どう考えてもピンと来ない」として、外務省内に保管されている移設候補案の資料を精査し、改めて辺野古と並んで最有力にランクされていた嘉手納統合案に着目する[16]。一方で岡田は鳩山が掲げた「県外移設」について、時間がかかることなどを理由に否定的な姿勢に終始した。
岡田はゲーツ国防長官との会談で嘉手納統合案を提起したのにつづき、一〇月二三日に会談したライス在日米軍司令官やルース駐日米大使にも同案を提起したが、米側は否定的であった。米側は固定翼機とヘリコプターの混在は機能低下につながるなどと述べたが、実際には事件・事故が多いと見なされがちな海兵隊と同居することで、基地に対する反感が嘉手納基地にも及ぶことを懸念したと見られる。[17] また、町域の九割近くを米軍基地が占め、これ以上の負担には耐えられないという嘉手納町の反発も強かった。
岡田は米側の固い姿勢を前に、一一月半ばになると自公政権時代の現行案による決着も仄めかすことになる。岡田の議論のもう一つの特徴は、この問題で自ら期限を区切ったことであった。岡田は外相就任後の記者会見で普天間について「一〇〇日間で解決しなければならない問題」と明言し、九月二一日のクリントン国務長官との会談でも「一〇〇日」を強調した。なぜ一〇〇日なのか。「予算をつけるということは、現状で進めることになる。年内が一つの判断基準だ」（岡田）という予算との関係もあれば、日米間のトゲを早めに処理し、同盟深化などに力点を移したいという考えでもあったのであろう。しかし鳩山首相が「何でそんなことを言うんだ」と漏らしたように、鳩山から見れば岡田の「一〇〇日」は対米交渉の余地を狭めるものだと映った。[18]
総じて言えば岡田の嘉手納統合案は実現に向けた政治的な工夫を欠き、同時に首相である鳩山の「県外移設」を足元で掘り崩すものであった。また岡田は外相就任当初、東アジア共同体にアメリカは入らないとたびたび明言し、さらに核の先制不使用について問題提起を行ったことも、米政府の一部に鳩山政権に対する戸惑いと警戒感を呼び起こすことになった。(19)

社民党の抵抗

「県外移設」にこだわる鳩山首相であったが、オバマ自らが早期決着を迫る中、確たる対案も持ち合わせていなかった。民主党の内外からも現行案での決着を目指す動きが顕在化する中、歯止めをかけたのが連立与党の社民党であった。

社民党にとって沖縄の基地問題は、党の存在意義に関わる大問題であった。社民党が橋本政権末期に自社さ連立を離脱したのも、既述のように沖縄の基地問題が一つの理由であった。社民党は鳩山政権発足時に民主党と連立を組む際にも、連立合意書に普天間代替施設の「県外移設」を明記することを求めていた。社民党ではこの年の一二月初旬に党首選挙が予定されていたが、沖縄県選出の照屋寛徳《てるやかんとく》議員が福島瑞穂《みずほ》党首に対して辺野古反対貫徹を求め、自ら立候補することも辞さない構えを見せていた。一方で社民党内には連立を優先すべきだという意見も強く、対立が深まれば党が分裂しかねない情勢であった。

福島党首は一二月三日の党常任幹事会において、辺野古移設が決まれば「社民党としても私としても重大な決意をしなければならない」と連立離脱も示唆し、これを受けた照屋は立候補を見送って福島の続投が決まった。福島も後には引けない立場だったのである。結局、鳩山は福島の発言を「重く受けとめた」として、年内決着の先送りを決めるとともに、辺野古以外の移設候補地も探すように岡田外相らに指示した。

演出された「米政府の怒り」

決着越年という鳩山政権の決定に米側は強く反発した。岡田外相と北澤防衛相が年内決着の意向を米側に伝えていたことも、「不意打ち」との印象を強めた。ルース米大使が首相官邸に乗り込んで、直接鳩山首相に閣僚間の食い違いについて問いただすという挙に出る一幕もあった。[20] 鳩山は一二月一八日にデンマークのコペンハーゲンで開かれた気候変動枠組条約第一五回締約国会議（COP15）に出席した際、夕食会で隣席となったクリントン国務長官と懇談し、普天間移設について、「新たな選択を考えて今、努力を始めているので、しばらく待っていてほしい」と語りかけ、この時点でクリントンの反応は伝えられなかった。[21]

それから間もない同月二一日、藤崎一郎駐米大使は、大雪でワシントンの連邦政府機関が臨時休日となる中、クリントン長官から急遽呼び出しを受けたと報じられた。その席でクリントンは藤崎に対し、辺野古での現行案が最善の計画であるとの米政府の見解を改めて伝えたとされた。これを受けて日本のメディアは、「（米側は）首相に異例の形で警告した」「日米摩擦は普天間問題の域を超え、鳩山首相の事実上の不信任へと発展した」など大々的に報道した。[22] しかし翌二二日には、クローリー国務次官補が定例会見で「日本大使がキャンベル次官補に会うために立ち寄り、クリントン長官のところにも立ち寄ったのだと思う」と、クリントンが藤崎を呼び出したとする日本での報道を否定した。

さらに後日、二〇一六年の米大統領選挙に立候補したヒラリー・クリントンが、国務長官などの公務を個人用メールアドレスで行っていたことが問題視され、その内容を公開することになった。そこには上記の日本大使呼び出しの件が含まれていた。それによると国務省職員がクリントンに対して、「カート・キャンベル（国務次官補）が明日の藤崎日本大使との会談であなたに少し会えるかどうか聞いている。カートが会議をし、ほんの二、三分の間、彼〔藤崎〕を連れてくる。あなたの考えを聞かせてください」と尋ね、クリントンは「ＯＫ」と返信した。[23] それが「異例の呼び出し」と「鳩山首相の事実上の不信任」にまで膨れあがったのである。

米側が二転、三転する鳩山政権の姿勢について苛立ちを強めたのは確かであろう。しかし上記の顛末は、鳩山政権に対する圧力として米側の「怒り」を利用するために、日本側の一部で意図的な演出がなされたことを示唆している。

「県外移設」の断念と政権崩壊

一方で鳩山政権内では平野博文《ひろふみ》官房長官を中心に、辺野古以外の移設先を検討する作業が始められた。二〇一〇年二月の段階で浮上したのは期限付きの嘉手納統合案、沖縄県内の伊《い》江島《えじま》や下地島《しもじじま》、鹿児島県の馬毛島《まげしま》、東京都の硫黄島《いおうとう》、新田原《にゅうたばる》基地（宮崎県）など沖縄県外の自衛隊基地、米軍の岩国基地（山口県）、民間の佐賀空港や関西国際空港、国外のグアム、サイパン、テニアンなどであった。

このような中、鳩山首相は代替施設について結論を出す時期を五月と明言するようになる。結果的にこの期限が自らを追い込むのだが、鳩山は「参議院選挙を七月に控えていて、その争点にこれを使われてしまったら大変不幸なことになると思い、参議院選挙前で、沖縄の知事選のかなり前に結論を見出しておかないといけないと考えて、五月末までに結論を出すとしました」と振り返る。(24)

結局、鳩山政権は、文字通り百花繚乱となった候補地から代替案を具体化し、地元の同意を取り付けることができなかった。この限られた時間の中で、それが可能になる方が不思議というものであろう。鳩山は自ら期限とした五月になると、現行案への回帰やむなしとの判断に至る。その際、鳩山が「学べば学ぶにつけ、沖縄に存在している米軍全体の中での海兵隊の役割を考えたとき、それがすべて連携している。その中で抑止力が維持できるという思いに至った。それを浅かったと言われればその通りかも知れない」と述べ、さらに「最低でも県外」は「自分自身の発言」であって、民主党の正式な公約ではないなどと発言したことで、首相としての資質にすら疑問が呈されることになった。(25)

鳩山が辺野古回帰を決めたことに対して、社民党は猛反発した。五月二八日、日米両政府は共同声明を発表し、基本的に自公時代の現行案に回帰することを明確にした。この共同声明を閣議了解する際、消費者相の福島（社民党党首）が署名を拒否した。辞任も拒んだため鳩山は福島を罷免し、三〇日に社民党は連立離脱を決めた。迷走を重ねた鳩山政権の支持率は二〇％を割り込んだ。連立瓦解の責任を問われた鳩山は、政治資金疑惑で批判を受けていた小沢幹事長を道連れにすることで党の刷新と党勢の回復を期すとして、六月二日、退陣を表明した。

鳩山は「沖縄とアメリカと連立、いずれも大事。すべて納得できる案を何とか見つけたい」と繰り返していたが、その三つを包含するような均衡点を探り出すだけの政治技術を決定的に欠いていた。側近にそれを補う存在がなく、政権首脳がこの問題でまったくといっていいほど統一と結束を欠いたことも大きかった。

民主党内でも鳩山を支えようという動きが見られない中、社民党の辻元清美は「普天間問題のことでは官邸にこっそり行ったりして、とにかく鳩山総理を励ましていました。しかし、鳩山さんには「沖縄のみなさんの思いを受け止めて」という思いしかなくて、そこから先がなかったのです」「総理大臣が孤立しているという感じでした」と言う。(26)

鳩山首相の功罪

鳩山首相は普天間問題をめぐる迷走が強烈な負の印象を残したが、一方で従来にはない新機軸を打ち出していたことは記憶されてもよかろう。その一つが、二〇〇九年一二月にインドネシアのバリ島で開かれたバリ民主主義フォーラムに参加し、同国のユドヨノ大統領とともに共同議長を務めたことである。バリ民主主義フォーラムは、インドネシアが提唱して二〇〇八年から始まったもので、アジア諸国自らの手で民主主義の発展を促進することを目的としている。

戦後日本は、経済開発を優先して強権的であったアジア各国の政権と関係が深かったこともあって、民主化や人権問題について積極的とはいえなかった。戦争の過去から来る一種の遠慮もあったであろう。しかし九〇年代末のアジア通貨危機を経て、アジアでも民主主義的な体制に移行する国が相次いだ。その代表格がインドネシアであり、ユドヨノがこのフォーラムを提唱したのも、自国の民主主義への自信と自負を背景としたものであった。

同フォーラムに参加した鳩山は開会式で演説し、中国について「責任ある大国として民主主義や人権分野といった分野において前進をはかっていくことが期待される」と言及したほか、日本の政権交代について「日本の長い民主主義の中で実現できなかった当たり前のことがようやく実現した」と述べ、「日本の新政権は、アジアの民主化の流れを、地域の諸国と力を合わせて後押ししていく」と表明した。そして民主主義を定着させるため、同フォーラム参加国が相互に選挙を視察するプロジェクトを提案した[27]。

中国台頭が顕著となるにつれ、日本では中国への牽制を言外に込めて民主主義を掲げる「価値外交」が打ち出されたが、バリ民主主義フォーラムはそのような大国間の対抗関係とは一線を引くものであり、同フォーラムにおける鳩山発言も、自ら政権交代を成し遂げたことを背景とした清新さを帯びていた。しかし鳩山以降、同フォーラムに参加した日本の首相は皆無である。

鳩山がひときわ熱心であった東アジア共同体構想も、アジアにおける経済統合や北東アジアにおける緊張緩和を志向する点で、決して奇矯なものではなかったし、それまでの自民党首相も提唱していた東アジア地域主義の文脈に沿ったものであった。しかし鳩山が掲げた理想主義は、鳩山政権に対する負のイメージと相まって、非現実的な夢物語というレッテルを貼られることになった。鳩山は、その稚拙な政治手腕にこれら理想主義を抱え込むことによって、その意図とは裏腹に、地政学や抑止力といった「力の外交」が日本外交の主役となる上で、露払いの役割を果たすことになったのである。

菅直人政権の実利外交

鳩山の後を継いで二〇一〇年六月に首相に就任したのは、鳩山政権で副総理兼財務相を務めていた菅直人であった。鳩山政権の迷走に対する失望はあったものの、政権交代を果たした民主党政権への期待は依然として強く、政権支持率は六〇%台を回復した。

鳩山が理想主義的な夢想家であったとすれば、小政党を渡り歩き、弁舌を武器に首相の地位に登り詰めた菅は見極めの早いリアリストであった。菅首相は外交面においては、アジアの経済成長を取り込むことが重要だとして、鉄道や原発などアジア各国におけるインフラ需要を受注すべく、官民合同の体制整備を図るとした。核不拡散条約未加盟の核保有国であるインドとの間で原発輸出を可能にする原子力協定を推進したのは象徴的であった。それまでの政権が「唯一の被爆国」という立場から同国との協定に慎重だったものを転換したのである。

菅は民主党が「責任政党」であることを示そうと消費税引き上げを掲げて同年七月の参院選に臨むが、発言のブレもあって大敗した。しかし九月の民主党代表選挙では小沢を破って首相続投となり、外交でも新機軸としてTPP（環太平洋経済連携協定）への参加検討を打ち出した。「明治維新、敗戦に次ぐ第三の開国だ」というのが菅の訴えであった。

TPPはそもそも二〇〇六年五月に、シンガポール、ニュージーランド、チリ、ブルネイの四ヵ国で発足したものであり、国内市場が狭隘《きょうあい》な中小国が、高いレベルでの貿易や投資の自由化を実現して経済成長を図る目的であった。日本でTPPがにわかに注目されるようになったのはアメリカが参加を表明してからである。オバマは二〇〇九年一一月にTPPへの参加を正式に表明し、これと前後して日本側にも参加可能性を打診していた。[28] アメリカが

TPPへの参加を表明した背景には、成長著しいアジア太平洋における貿易・投資のルール作りで主導権を握るねらいがあった。

当時、鳩山政権は東アジア共同体を看板に掲げ、アメリカを排除する意図があるのではないかと内外から注視されていた。一部にはアメリカのTPPに対する積極姿勢は、東アジア共同体構想への牽制ではという見方もあった。米側からのTPP参加への打診に対して鳩山政権は必ずしも積極的ではなかったが、その背景には日本国内の農業保護という難題があった。自民党政権時代からこの種の自由貿易協定が外交課題となるたびに、農業保護がハードルとなっていた。

菅首相はそれを一転させ、TPP加盟に向けて積極姿勢を打ち出したのである。その背景には、韓国がアメリカやEUとFTA（自由貿易協定）を締結するなど、世界的に個別あるいは地域ごとの自由貿易協定がますます盛んになる中、日本が取り残されるという強い危機感があった。また、普天間問題をめぐってぎくしゃくした対米関係を立て直すという色合いも強かった。

しかし菅の方針表明が突然だったこともあって、民主党内では波紋が広がった。九月の民主党代表選で菅と競った小沢に近い議員らは反対姿勢を示した。菅首相は一一月中旬に横浜で開かれるAPEC首脳会議の前には対処方針の閣議決定を取り付けようとしたが対立は収まらず、党内抗争再燃の様相も帯びた。結局一一月九日の閣議で基本方針の決定にこぎ着けたものの、TPPへの「参加を目指す」との表現は見送られ、「情報収集を進めながら対応する」とされた。

空転する菅のトップダウンと党内抗争で政権がエネルギーを費やす中、菅政権に大きな難題が降りかかっていた。沖縄県・尖閣諸島沖で起きた中国漁船と海上保安庁巡視船との衝突事件である。

尖閣沖での中国漁船衝突事件

二〇一〇年九月七日、尖閣諸島沖の日本領海で操業中の中国漁船が海上保安庁巡視船に発見されて逃走し、巡視船に体当たりした末に停船させられた。中国人船長は公務執行妨害の容疑で逮捕された。逮捕した船長をどうするのか。中国は尖閣が自国領だと主張しており、逮捕から起訴へと刑事手続きを進めれば猛反発は必至である。

小泉政権時の二〇〇四年三月には尖閣諸島に中国人活動家七人が上陸し、沖縄県警が入管難民法違反の現行犯で逮捕した。中国政府が即時解放を要求する中、県警は送検をせずに七人を中国に強制送還していた。

国土交通相として海上保安庁を指揮する前原誠司は「小泉政権の時は「上陸」であり、(今回とは)性格が全く違う」「(対中関係で)領土問題はないから毅然とやる」と主張した。岡田外相も日本が法治国家であることを示すべきだと歩調を揃えた。民主党代表選に臨んでいた菅首相に代わって指揮をとった仙谷由人《せんごくよしと》官房長官は、前原や岡田の意向も受けて逮捕後に略式起訴という決着を探る。誤算は石垣島に連行された船長の否認であった。船長が容疑を認めれば略式起訴で済ませることが検討されたが、中国領事と接見した船長は否認を貫いた。一九日には那覇地検が勾留期限の延長を請求して那覇地裁も認めた。拘置延長によって船長の起訴は確実との見方が広がった。

事件発生直後、中国政府は事態の発展を注視するといった比較的穏やかな反応であった。その背景には、日本側も日中関係に配慮して起訴につながる船長の勾留延長はしないだろうという見立てがあった。

このとき北京へは、民主党政権下における大使への民間人登用の象徴として、大手総合商社・伊藤忠商事の会長などを歴任した丹羽宇一郎《にわういちろう》が赴任したばかりであった。中国側は丹羽を繰り返し呼び出し、中でも副首相級の国務委員である戴秉国《たいへいこく》が、一二日未明の時間帯に呼び出したことが異例だとして日本国内では反発が広がった。しかし未明になったのは実際には日程調整の結果にすぎなかった。[29] また戴は丹羽に「情勢の判断を誤らないように賢明な政治判断を求める」と述べるにとどまり、「抗議」はなかった。中国側は丹羽への度重なる申し入れによって意図は十分伝わったと見たようである。

しかし一九日の勾留延長を境に、中国側の姿勢は急激に硬化した。中国側がこれだけ言っているにもかかわらず、日本側が無視していると見えたようである。[30]「すぐに船長を釈放しなければ、中国側は強烈な対抗措置をとる」と警告するとともに、二一日にはハイテク産業に欠かせないレアアース（希土類）の対日輸出が止まった。二三日には中国河北《かほく》省で日本の建設会社の日本人社員四人が軍事管理区域に許可なく侵入し、撮影をした疑いで中国当局に拘束されていると伝えられた。

中国側の猛反発を招いた勾留延長だが、その直前の一七日、民主党代表に再選された菅首相は内閣改造を行い、岡田外相と前原国交相も交代した。「（外相だった）岡田氏も幹事長就任が決まってからは「それ（勾留延長問題）は次の大臣がやること」と仕事に手をつけなかった。（新たに外相に就任する）前原氏も、直後に控えた国連総会の準備しか頭になかった」（外務省幹部）。その通りだとすれば、政治的意思の関与なしに勾留延長が決まったという形である。

緊張がエスカレートする中、菅首相も「何とか着地点はないものか」と漏らすようになった。結局二五日になって那覇地検は船長を処分保留で釈放し、船長はチャーター機で帰国した。釈放に際して那覇地検は、「我が国の国民への影響と今後の日中関係を考慮した」と、異例ともいえる外交上の考慮を挙げた。政権中枢による政治判断が明らかと見えたが、仙谷官房長官は、あくまで検察独自の判断だと押し切った。その後も中国側は賠償と謝罪を日本側に要求し、これに対して日本側も衝突された巡視艇の原状回復を求める構えを見せて対抗するなど、双方が矛を収めるのは容易ではなかった。[31]

「中国とのパイプがないんだ」

一連の展開で露わになったのは、日中間で意思疎通を図るパイプの脆弱さであった。仙谷は事件の対応に追われる中で「民主党には中国とのパイプがないんだ」と吐露し、「どことルートをつくったらいいのか探りながらやりましたが、野中広務氏と曽慶紅《そうけいこう》〔中国国家副主席〕氏のラインも消えているという話であったし」と言う(32)。かつて水面下で日中間の意思疎通を担った野中と曽はすでに引退しており、対中人脈の不在は民主党に限らなかった。

一方、国交相として船長の逮捕を主導した前原は内閣改造で外相に転じると、九月二三日のクリントン国務長官との日米外相会談で、アメリカによる日本防衛義務を定めた日米安保条約第五条が尖閣にも適用されるとの見解を引き出した。それを日本の外交成果に挙げる向きもあった。しかしクリントンは同時に「日中関係は地域の安定に極めて重要だ。両国が対話を進めて早期に解決することを望む」と述べている(33)。

この前後にはアーミテージ元国務副長官が、中国は「米日関係が冷え込んでいる間、いろいろなことをやって、どこまで許されるのか試している」との見解を述べた(34)。鳩山政権で日米関係が揺らいだことが、この事件をめぐる中国の強硬姿勢の背後にあるという見立てである。この漁船衝突事件を一つの契機として、民主党政権の対米軽視が中国の対日強硬路線を招いたのだという議論が日本国内で盛んに唱えられた。裏を返せば中国の対日強硬姿勢に対抗するためにも、日米同盟の一層の強化に努めなければならないという主張である。一方で、中国といかに意思疎通のパイプを構築するかというこの事件の本来の教訓は、すっかりその陰に隠れてしまったかのようであった。

三・一一と「トモダチ作戦」

二〇一一年三月一一日午後に発生した巨大地震と大津波、そして原発事故はまさに「国難」というべき未曽有の事態であった。ルース駐日米大使は、地震発生から一時間半後に日本政府に対して在日米軍を含めアメリカが協力する用意があることを伝え、翌一二日の未明にはオバマ大統領が菅首相との電話会談で、日本に対してあらゆる支援を行う用意があると伝えた。結果として米軍は最大時で人員約二万人、大型空母を含む艦船約二〇隻などを投入し、「トモダチ作戦」と名づけられた人道支援・災害救助活動を実施した。

このアメリカの協力について中曽根康弘元首相は、「日米安保条約の上では、米国は日本への外敵の攻撃有事の際には日米共同で対処する義務を負っても、日本の災害時の支援義務はない……同盟国関係に基づくというよりは、〝日本が米国の真のパートナーであり頼りになる友人である〟という信頼感に基づいているようである」と記した[35]。ちなみに米軍は、二〇〇四年一二月に発生し、津波によって約二三万人もの犠牲者を出したスマトラ島沖大地震、二〇〇五年一〇月にパキスタンのカシミール地方で発生し、約七万三〇〇〇人の犠牲者が出た震災の際も大規模な救援活動を展開し、インドネシア、パキスタンそれぞれとの関係改善に好影響を及ぼしたとされる[36]。

しかし、日米間に摩擦がなかったわけではない。米政府は積極的な支援を表明する一方、日本政府が深刻化する福島第一原発の事故対応に手間取り、米側への情報提供も不十分だとして苛立ちを強めた。三月一七日には陸上自衛隊のヘリコプター二機が、水素爆発によって天井を失っていた福島第一原発三号機に向けて上空から冷却のための海水を投下した。海水は霧状に拡散して冷却効果は期待できなかったが、「目に見える形で放水することで、国民に安心感を与える」（北澤俊美防衛相）ことに加え、「〔菅と〕オバマ氏との電話会談までに「日本は本気だ」と示す必要があったから」（複数の政府関係者）であった。

東日本大震災で被災した陸前高田市を視察する菅首相（2011年4月）

この数日前には米政府側から首相官邸に、「日本政府がこのまま原発事故の対応策をとらずにいるなら、米国人を強制退避させる可能性がある」と伝えられた。菅に言わせれば、「まず日本人が命をかけて危機に立ち向かい、それから米国に頼もうと思ったんだ。だから自衛隊に「命をかけて出てください」と頼んだ」。ヘリ放水を機に原発事故対応をめぐる日米協力は歯車がまわり始め、日米の関係者からなる「福島第一原発事故の対応に関する日米協議」が発足した。[37]

一方、「トモダチ作戦」では、米空軍の輸送機が山形や花巻など日本国内の民間空港を初めて使い、被災地への物資輸送の拠点とした。一九九九年に成立した周辺事態法は、朝鮮半島など「周辺有事」の際には地元自治体の同意を得て、米軍が日本国内の民間空港や港湾を利用できると定められている。

しかし「トモダチ作戦」に際して周辺事態法は適用されず、関係する県知事は国土交通大臣や内閣官房長官と連絡をとり、米軍が民間空港を確実に利用できるようにした。二〇〇四年一〇月の中越地震の際には、地元自治体は米海軍に民間港湾の使用を許可せず、二〇〇九年四月に北朝鮮がミサイル発射実験を行った際にも国土交通省は同様に許可しなかった。そのような「壁」が「トモダチ作戦」では乗り越えられた形である。防衛省関係者は「また「新潟」のような事態が起こると思っているわけではありませんが、〔「トモダチ作戦」後には〕米軍はあらゆる緊急事態において〔日本国内の民間の〕港湾や道路、飛行場を使用できるようになり、共同派遣がしやすくなるはずです」と語る。[38]救援活動のもう一つの側面であった。

東日本大震災をはじめ突発事態への対応に追われた菅政権だが、「過去」をめぐる問題でいくつかの言及すべき取り組みを行っている。その一つは二〇一〇年八月一〇日に閣議決定された「日韓併合一〇〇年に関する首相談話」である。在任中に李明博大統領と親交を深めた鳩山首相が同談話を構想し、仙谷官房長官が引き継いだものであった。同年七月、仙谷が八月二九日の日韓併合一〇〇年を前に談話を検討していると述べると、韓国政府が期待を示す一方で、民主党内の保守系議員から慎重論が出たほか、自民党の谷垣禎一《さだかず》総裁は「1965年の日韓基本条約とそれに伴う色々な合意で解決されている問題を不用意に蒸し返すこと」に懸念を示し、安倍晋三元首相は「禍根を残す。愚かで軽率な談話だ」と批判した[39]。

こうした中で閣議決定された談話は、村山談話を踏襲する形がとられた。また日本の宮内庁が保管している「朝鮮王室儀軌《ぎき》」を韓国に引き渡すことも表明された。「儀軌」は朝鮮王朝時代の主要行事を絵や文で記録したもので、韓国の市民団体が返還を求める運動を始めたことをきっかけに、韓国国会でも返還要求が決議されていた。エジプトやギリシャが大英博物館所蔵の自国の文化財返還を求めるなど、世界的な動向も背景にあった[40]。

一方で六五年の国交正常化の際に日韓では文化財に関する協定が結ばれ、日本から朝鮮半島由来の国有文化財約一三〇〇点が韓国に引き渡されており、日本側にはこの問題は決着済みだという声もあった。また日本外務省にはこれが日朝国交正常化交渉へ波及することを懸念する声もあった。

このような事情を背景として、菅首相が表明した「朝鮮王室儀軌」の引き渡しは、韓国の所有権を認める「返還」ではなく、あくまで善意に基づくものだと位置づけられた。「儀軌」は二〇一一年一〇月、後任の野田首相から李大統領に引き渡された。

菅首相の談話発表に対して李大統領は謝意を示す一方、日本の教科書検定における竹島の扱いなどを念頭に、「今後、日本が行動でどのように実践するかが重要だ」と牽制を忘れなかった。日本側が好意を示せば日韓関係は好転するのか、あるいは竹島などでさらなる譲歩を求められるだけなのか。菅首相の「首相談話」をめぐる内外の不安定な状況は、日韓関係の一筋縄ではいかない展開を暗示するかのようであった。

また菅首相は野党時代から関心を示していた東南アジアや中国などに残された在外戦没者の遺骨収集に力を入れることを表明し、特に硫黄島での遺骨収拾に重点をおいた。同島では約二万二〇〇〇人が戦死したが、一万三〇〇〇人分の遺骨が見つかっていないとされ、予算の増額や通年での遺骨収拾が打ち出された。菅の指示で米側資料の調査も行われ、結果として硫黄島からは多くの遺骨が帰還を果たした。[41] 掛け声倒れに終わる施策が多かった菅政権で、「目に見える結果が出たのはこれぐらいだ」（官邸スタッフ）という声もあった。[42] 震災対応の最中に激化した民主党内の「菅降ろし」を退陣の条件を示すことでひとまず乗り切った菅は、二〇一一年八月、条件としていた再生エネルギー特別措置法などが成立したのを機に退陣を表明した。

民主党の「保守政治家」——野田佳彦

菅の後継を選ぶ民主党代表選挙を制したのは、財務相の野田佳彦であった。野田はこのとき五四歳。安倍晋三に次ぐ戦後二番目の若さでの首相就任であった。自衛官を父に持つ野田は、大学卒業後に松下幸之助《こうのすけ》が創設した松下政経塾に入塾し、千葉県議などを経て一九九三年の総選挙に細川護熙が結成した日本新党から立候補し、当選した。その後、新進党などを経て民主党に加わった。

野田は自らを「保守政治家」と位置づけたが、確かに松下政経塾から日本新党、新進党という野田の歩みは、五五年体制後に政権交代可能な「第二保守党」を作ろうとする流れの中にあったと見ることもできよう。野田は、「A級戦犯は戦争犯罪人ではない」と主張し、憲法改正についても積極的に認める立場をとっていた[43]。理想主義を前面に出した鳩山政権から実利主義の菅政権を経て、民主党政権三代目の首相は、「保守」を掲げる野田となったのである。

二〇一一年九月に政権を発足させた野田は、同月の国連総会にあわせてオバマ大統領と初会談を行った。野田によればオバマは「こんな課題があるんだけれどね」とハーグ条約（国際的な児童連れ去り防止のための条約）、牛肉輸入、普天間問題など日米間の課題を実務的に列挙し、「ああ、こういう人なんだ」と思った野田は、一つずつ具体的に答えた。「オバマさんと約1年お付き合いをして感じたのは、実務重視の実利的な人だということです。実務をある程度、こちらもきちんとやり、できるんだと思うと、だんだんフレンドリーになっていきました」[44]。

野田は自らの政権の外交について「鳩山さんの流れをどうするかが問題でした。「東アジア共同体」という大構想は現実的ではない、やはり基本は日米だと思っていました」「21世紀は日米が基軸。東アジア共同体でアメリカは外というやり方は絶対に違うと思っていました」と語り、第二次世界大戦中に米英が打ち出した大西洋憲章を念頭に、日米で「太平洋憲章的なことをやっていくんだというくらいの意識を持ちながら、TPPや海洋を巡るルール作りといった具体論を」進め、「実務の面で日米同盟を進化させていくつもりでした」と言う[45]。

鳩山政権時、岡田外相などが東アジア共同体からアメリカは除外されると繰り返したのに対し、鳩山首相は必ずしも同じではなかったのだが、「有事駐留論」や普天間の「最低でも県外」と重なったことによって、同じ党内の野田からすら、東アジア共同体構想は「離米」のシンボルと見なされるようになっていた。

実務面での対米関係強化を志向した野田は、アメリカも期待するTPPへの加盟に注力する決意を固める。しかし党内は二分されており、一一月中旬、TPP交渉参加に向けて関係国との協議に入ることを表明するのが精一杯であった。参加表明ではあるが、始めるのはそのための事前協議という位置づけで反対派にも配慮した形である。「（野田）首相は（ＴＰＰ参加で）最初から腹をくくっている。民主党政権でアメリカとの関係が悪化しているとの思いがある」（首相周辺）と、野田にとってＴＰＰは、対米関係上の配慮が色濃い課題であった。

経済重視で日韓協調を

首相就任後、国連など国際会議を除き、野田が最初の外遊先としたのは韓国であった（二〇一一年一〇月一八日～）。北朝鮮による日本人拉致問題を進展させたいとの意欲や、停滞していた日韓経済連携協定（ＥＰＡ）を再起動させたいとの意向が背景にあった[46]。しかし韓国では同年八月、元慰安婦らによる賠償請求の訴えについて、一九六五年の日韓請求権協定が個人の請求権を含むか否かに関して日韓で解釈に違いがあり、韓国政府がこれを解決しようとしないのは不作為で違憲だとする判決を憲法裁判所が下していた。加えて翌二〇一二年には四月に総選挙、一二月に大統領選挙が控えており、韓国政界は竹島や歴史問題をめぐって、有権者受けする対日強硬論に傾きやすい状況となっていた。

一〇月一九日に行われた野田と李の首脳会談では、緊急時の通貨融通（スワップ）協定の枠を拡充することなど、経済協力の強化に重点がおかれた。竹島や歴史問題では進展が容易ではない中、経済問題から日韓協調を広げていこうという双方の意向であった。

李はこのとき慰安婦問題について直接的な言及を避け、「韓日間で障害になっている懸案もある。野田首相が誠意を持って積極的に臨んでくれることを期待する」と述べるにとどめた。韓国側事務方が用意した発言要領には慰安婦問題があったにもかかわらず、間接的な言及にとどめたのは、李自身の判断によるものであった。

一方で野田は、「朝鮮儀軌」の返還に触れながら「韓国にも日本に関する文書がある。それに対するアクセスの改善を期待する」と述べた。韓国で保管されている対馬《つしま》藩の「対馬宗《そう》家文書《けもんじょ》」を念頭に自由な閲覧を求めたもので、文化財問題は日本から韓国への一方的返還だけではないことを示唆した発言であった(47)。

慰安婦問題で激論

二ヵ月後の一二月には李が来日し、京都で野田と首脳会談を行った。この際、李は一〇月の会談とは打って変わって、慰安婦問題を提起することを来日前から明らかにしていた。一八日に京都迎賓館で行われた会談では野田が「経済、安全保障の話をしたい」と切り出したのに対し、李は「経済問題の前に慰安婦問題の話をしなければならない」として、元慰安婦の女性が高齢になっていることから「今しか解決できない」「首相が直接、解決の先頭に立つことを願う。実務的な発想よりも、大きな次元の政治的決断を期待する」と畳みかけた。

これに対して野田は、一九六五年の日韓基本条約に伴う請求権並びに経済協力協定で解決済みだという立場を示した上で、「これからも人道的見地から知恵を絞っていく」と述べた。

次いで野田がソウルの日本大使館前に設置された慰安婦のブロンズ像の早期撤去を求めると、李は語気を強め、「誠意ある措置がなければ第二、第三の銅像が建つ」と反発した[48]。結果として約一時間の会談のうち、四〇分あまりが慰安婦問題で占められた[49]。李の強い姿勢は同席した韓国政府幹部も「予想を超えた強いレベル」と驚くものであった。

日本側では李が強硬姿勢に転じた背景として、任期が残り一年あまりとなって求心力が低下する中、韓国の歴代政権と同じように対日強硬姿勢をとることで政権浮揚を図ったという見方が強かった。一方で李としてはこれまでこの問題で抑制的な対応をとってきたにもかかわらず、野田は「解決済み」という立場を繰り返すのみだという不信感が爆発した形であった[50]。

日本側はこのような首脳同士の正面衝突を回避するため、慰安婦問題で別途外相会談を設定し、ガス抜きを図ろうとしたが、韓国側は日本側が竹島問題を取りあげることを察知してこの案を拒否、十分な調整なしにトップ同士の会談に突入したのであった。野田からすれば「言うべきことは言う」という持論を貫徹した形であったが、これに「大統領はキレた」（韓国政府関係者）。李はこの後、竹島に上陸した際にもこの京都会談に言及しており、よほど耐えかねるものがあったのであろう[51]。首脳会談が孕むリスクである。

日本の代表的な韓国専門家として知られる小此木《おこのぎ》政夫・慶応大学名誉教授は、この京都での両首脳による激論が日韓における「今日の歴史摩擦の原点です」と位置づけ、「いまでは、

「過去反省」と言ったら、それだけでもう論争が始まってしまいます」という。それ以前は冷戦下における朴正熙《パクチョンヒ》・全斗煥《チョンドファン》時代の「安保優先、経済開発」の日韓関係、冷戦後には民主化した韓国と村山・小渕など歴史問題で穏健な日本側との協調関係があったが、それも過去のものとなり、新たな形はまだ見えないと指摘する[52]。

野田と李が京都で激論を交わした翌日の一二月一九日、北朝鮮中央テレビは最高指導者の金正日総書記が一七日朝に急死していたことを発表し、これを受けた日韓当局はともに対応に追われた。日韓首脳は、急変を告げる北朝鮮情勢をそれとは知らず、歴史問題で火花を散らしていたのであった。

竹島上陸と天皇謝罪要求

李明博大統領は翌二〇一二年八月一〇日、歴代大統領として初となる竹島への上陸を敢行した。野田首相は「極めて遺憾だ。毅然とした対応をとらねばならない」として武藤正敏駐韓大使を一時帰国させる一方、玄葉《げんば》光一郎外相は竹島の領有権問題を解決するため、国際司法裁判所（ＩＣＪ）への提訴を検討することを表明した。ＩＣＪへの提訴には当事国双方の同意が必要で、日本政府は一九五四年と六二年にも提訴を提案したが韓国側が拒否し、その後日本政府は日韓関係への配慮から提案を見送っていた。

李は「就任当初から（竹島に）来ようと思ったが、なぜなかった」と語ったが、大統領周辺で竹島上陸敢行が力を増したのは、前年に京都で野田と激論を交わして以降であった。李の周辺では実兄が逮捕されるなど不祥事が相次ぎ、求心力は地に落ちていた。「相次ぐ不祥事に、(韓国)国民の目先を変えたいとの思いがなかったとはいえまい」(韓国側の対日政策助言者)。また李は韓国国会議長らに「国際社会における日本の影響力は以前のようではない」と述べており、対日関係の優先度が低下していたことをうかがわせる。(53)

その直後の一四日、李は韓国国内の会合で、「(天皇は)韓国を訪問したいならば、独立運動をして亡くなられた方々のもとを訪ね、心から謝罪すればいい。何か月も悩んで「痛惜の念」などという言葉一つを見つけて来るくらいなら、来る必要はない」と述べた。「痛惜の念」とは一九九〇年五月に当時の盧泰愚大統領が訪日した際、宮中晩餐会における「お言葉」で天皇が用いた表現であった。(54)

これに対して日本政府は直ちに不快感を表明した。天皇訪韓は八四年に全斗煥大統領が訪日時に招請して以降、歴代韓国政権がたびたび求めていた。しかし日本側では歴史問題をめぐる懸念も強く、「危険がゼロにならないと難しい」(元宮内庁幹部)と考えられ、訪中が優先された経緯があった。日韓の最も微妙な課題の一つを、さらに難しくする李の発言であった。

一方で天皇自身は、日韓ワールドカップを前にした二〇〇一年の記者会見で「桓武天皇の生母が百済の武寧《ぶねい》王の子孫であると、続日本紀に記されていることに、韓国とのゆかりを感じています」と朝鮮半島との血縁に言及し、〇五年のサイパン訪問では韓国人の慰霊碑にも拝礼するなど、歴史をめぐる日韓摩擦の緩和に心を砕いてきたと見えるだけに、天皇訪韓をめぐる政治レベルの軋轢は皮肉なことであったと言わざるを得ない(55)。

結果的に領土と歴史をめぐる対立ばかりが印象に残った野田政権下の日韓関係であったが、水面下では慰安婦問題について解決が模索されていた。京都での首脳会談後には、日本側から元慰安婦への償い金に対する日本政府の一〇〇%支出などを提案した。韓国側はいったん拒否したものの、李の竹島上陸で日韓関係が危ぶまれる中、協議が再活性化した。最終的には「もう少し時間があれば合意できた」(斎藤勁《つよし》官房副長官)ところまでこぎ着けたが、衆議院解散となって妥結に至らなかったという(56)。そうであればなおのこと、両首脳が「毅然とした態度」をぶつけ合ったことが惜しまれよう。

また李明博政権下では二〇一二年六月に日韓間での対北朝鮮の軍事情報の共有を可能にする軍事情報包括保護協定(GSOMIA)が調印間際となったが、日韓関係の軋轢とともに暗礁に乗り上げた。

石原都知事の尖閣購入計画と国有化

野田政権下では韓国のみならず、ロシア、中国との領土問題にも波乱が押し寄せた。二〇一二年七月三日には、ロシアのメドベージェフ首相が国後島を訪問した。メドベージェフは大統領だった二〇一〇年一一月にも、ソ連・ロシアの最高指導者として初めて国後島を訪れている。

尖閣諸島については、事態はより複雑であった。二〇一二年四月一六日、訪米中の石原慎太郎・東京都知事がワシントンでの講演で、尖閣諸島を都が買い取る方針であり、埼玉県在住の地権者からも同意を得ていると表明した。石原にとって尖閣は、タカ派の若手代議士として知られた頃からの関心事であった。また石原は尖閣購入に際して広く寄付金を募ることを表明し、その後九月までに一五億円近い寄付金が集まることになる。

これに対して藤村修官房長官は石原の講演の翌日、必要であれば尖閣国有化を検討することもあり得ると述べた。尖閣については小泉政権時の〇二年四月、国が地権者から借り上げる契約を結んでいた。島の転売や第三者の上陸を防ぐ目的であったが、借り上げの事実は一年近く後になって新聞報道で明らかになっている。その後、買い上げに向けた国と地権者の交渉が断続的に行われていた[57]。

石原は四月の講演に先立つ三月、尖閣を都で購入した後に国に売却するという二段階の国有化計画を野田に持ちかけたが、消費税に忙殺されていた野田は色よい返事をしなかったという。石原の計画公表後も野田は国有化に慎重であったが、東京都への寄付金はどんどんと膨らみ、石原が先行取得すれば領土問題で民主党政権は弱腰だという批判を受けかねなかった。内閣支持率が低迷する中、「［国有化を］秋ごろまでにまとめ、政権浮揚につなげたい」

（首相周辺）という声もあった。[58]

外務省は都に購入させ、中国には一自治体のやっていることだと説明すればよいと主張したが、野田は五月半ばには国有化に向けて具体的な対応に着手することを決める。都が不動産鑑定などの手続きで秋まで購入額を地権者に提示できない中で、国は国土交通省の算定をもとに地権者に二〇億円を提示し、交渉の主導権を握った。石原は国によるインフラ整備を条件に引き下がる姿勢を見せ、野田は一時は石原の条件を呑むことに前向きだったが、中国の反発を警戒して国有化にとどめることになった。[59]

九月はじめ、地権者は石原ではなく国の買い上げに応じる。翌月、ハシゴを外された形の石原は都知事辞任と国政復帰、新党結成を表明し、やがて日本維新の会と合流して代表に就くものの、自主憲法制定などをめぐって共同代表の橋下徹と対立して分党、二〇一四年に政界を引退した。

中国の猛反発

野田政権は、地権者との交渉を本格化させるのと並行して中国側の反応を探った。その際に中国側に強調したのが、国による尖閣購入は日本国内における所有権の移転であり、領有権問題とは一切関係ないこと。そして対中強硬派の石原率いる都が購入するよりも、国による購入の方が平穏で安定的な維持管理にとって望ましいという点であった。この説明に対して中国側は相応の理解を示したものと日本側は受けとめた。しかしそこに日本側の希望的観測が込められていたことは否めず、また中国共産党の権力中枢でも理解が得られているのか、必ずしも定かではない状況であった[60]。

七月七日には朝日新聞が尖閣国有化計画をスクープとして報道した。国有化を推進した首相補佐官の長島昭久は、極秘裏に尖閣を購入して数ヵ月後に公表する方法であれば中国側の反発も抑えられたが、このスクープによって困難になったと悔やむ[61]。しかし藤村修官房長官は「報道されたことで大きな流れが変わったことはないと思います」と言う[62]。

実のところ中国側は、都による募金が集まりだしても「最後は日本政府が止めるだろう」（中国外務省対日部門幹部）と見ていたようである。中国側には政治体制の違いもあって、なぜ政府が一地方自治体の動きを抑えられないのか理解が難しく、実は野田と石原が水面下で結託して国有化を進めているのではないかといった疑念も生じていた。他方で野田政権は、この年秋の中国共産党大会で胡錦濤から習近平《しゅうきんぺい》に政権が移行する前に国有化を済ませることが重要だと考えた。「胡錦濤時代に尖閣問題を終わらせれば、新体制になって関係をリセットできる。新指導部になって国有化をぶつけたら最悪だ」（首相周辺）という読みであった[63]。

国有化の閣議決定を二日後に控えた九月九日、ロシア・ウラジオストクのＡＰＥＣで野田と胡錦濤は立ち話として言葉を交わした。野田が直前に起きた中国・雲南省での地震のお見舞いを述べたのに対して、胡錦濤は外交辞令もそこそこに「すべて不法で無効だ」「日本は事態の厳しさを十分認識して誤った決定をせず、関係を発展させる大局を維持すべきだ」と野田に国有化の再考を強く迫った。[64]

その二日後、野田政権は予定通り国有化を閣議決定する。結果として胡の発言を一顧だにしない形となったことに対して野田は、「あのタイミングでなかったら所有者の気持ちが変わってしまった可能性もありました」「タイミングが悪いという人には、いつだったらいいのかと聞きたいぐらいです。日中間の（領土）問題は存在しないという立場ですから、我々が決断した時にやる、延ばす理由はないということで押し切るしかなかったのです」と言い切る。[65]

この閣議決定に対して中国は猛烈に反発した。これ以降、連日のように尖閣周辺に監視船や航空機を送り込むようになり、政府間の交流もほぼ止まったほか、中国各地で激しい反日デモが起きた。日系企業が襲撃される様子に野田は「焼き打ちを中国政府は黙認するのか」と怒りを露わにしつつも、「一定の摩擦は起こるだろうと考えたが、この規模は想定を超えている」と漏らした。[66] これに対して中国側は「野田政権は国家主席に託す我々の言葉の重みも理解しなかった。せめてタイミングを遅らせる配慮くらいできただろうに」（中国外務省当局者）と憤り、対日関係を重視してきた胡錦濤引退直前での国有化は、後ろ足で砂をかける行為に映ったともいう。[67]

他方で中国側では当初中国外務省を中心に、都による購入を回避するための尖閣国有化という野田政権の方針を消極的ながらも理解する方針が提起されたものの、軍を中心とした強い反発にあって八月下旬から九月にかけて強硬姿勢へ転換したとも言われる。それは胡錦濤や習近平、さらには隠然たる影響力を保持していた前国家主席・江沢民も交えた権力闘争と連動していたという。[68]

アメリカの不安

野田政権による尖閣国有化に向けた動きを不安げに注視していたのがアメリカであった。九月のAPECではオバマに代わって出席したクリントン国務長官が野田との会談で、「本当に国有化する必要があるのですか」「国有化後にどのような見通しを持っているのですか」と畳みかけ、野田は国が購入した方が安定的に管理できるといった説明に追われた。[69]オバマ政権でアジア太平洋政策を担ったキャンベル国務次官補によれば、米政府は二〇一二年夏以降、中国の「国内案件」とも絡んで尖閣問題の緊張が高まったと判断し、キャンベルは旧知の長島首相補佐官に対して「中国側から見て、「現状の変更」と映るようなことは避ける道がないのか」と問い、さらに「よく注意してほしい。あなた方は今後、長期にわたって起こること（日中の神経戦）について、引き金を引くことになるかもしれない」と強く注意を促した。[70]

キャンベルは野田政権の対応について、「ある種の「キャンペーン」のように感じられた」と言う。すなわち安定維持のために国有化が必要だという主張と並んで、「我々はナショナリストであり、これらの島の管理を確かなものにすることによって、日本の国益に資するようにしている」というもう一つのキャンペーンである。[71] 後者は国内向けにしばしば呼号された「毅然とした外交」と重なる。野田はこのあとTPPの交渉参加に向けた積極姿勢を加速させるが、その背景には尖閣をめぐる中国との対立先鋭化を受けて、日米同盟の強化を図る意図が込められていた。[72] 他方で問題の真の焦点であったと見える中国との緊張緩和や意思疎通に注力した様子はうかがえない。

会談に臨む（左から）李明博韓国大統領、胡錦濤中国国家主席、野田首相（2012年５月）

民主党政権は鳩山政権の下、アジア地域主義を東アジア共同体として過剰に「対米自主」と結びつけることで論争化し、一方で菅政権を経た野田政権では領土問題でアメリカも不安視するほどの「毅然たる対応」を掲げて尖閣国有化に踏み切った。普天間をめぐる日米同盟の軋みは、「最低でも県外」の撤回で取り繕うことになったが、アジア外交については鳩山、野田と二つの異なる側面から不安定化させたまま、民主党政権は幕引きを迎えたのである。

そして中韓との緊張の高まりは、安倍晋三の復権と再登板に向け、追い風として作用することになる。

終章　日本外交のこれから——第二次安倍政権と将来の課題

安倍再登板と「地球儀を俯瞰する外交」

二〇一二年一一月、民主党から離党者が相次ぎ、劣勢が予想される中で、野田首相は解散に踏み切った。一二月一六日投開票の総選挙では自民が大勝を収め、公明党との連立で第二次安倍政権が発足した。戦後久しくなかった二度目の首相登板である。

安倍は大胆な金融緩和などを柱とする「アベノミクス」を掲げ、株価の大幅な上昇などをもたらした。党内分裂で内部崩壊した民主党政権への失望感もあって第二次安倍政権は高支持率を獲得し、一三年七月の参議院選挙でも勝利を収めた。衆参「ねじれ」の解消に成功して、安定した政権基盤を築きあげた。

安倍は第一次政権では中韓への積極的外交というサプライズでスタートダッシュに成功したが、今回はデフレ脱却など経済を前面に出したのであった。野田政権下で近隣諸国との領土問題が顕在化し、有効な対応がとれなかったという印象も、その種の問題で「毅然としている」と見られる安倍への期待を高めた。

安倍首相は経済を前面に出しつつも、安全保障関連の体制強化を進めた。第一次政権で実現に至らなかった国家安全保障会議(日本版NSC)が二〇一三年一二月に発足したが、その際には同年一月、アルジェリアで発生した武装集団による天然ガス関連施設襲撃で日本人一〇人を含む多数の人質が死亡した事件で、情報収集等に手間取ったことが理由として挙げられた。同じ一二月には特定秘密保護法も成立した。この法案には秘密の範囲が際限なく広がりかねないとの懸念も寄せられ、安倍政権は強行採決との批判をかわすため日本維新の会、みんなの党の賛成を取り付けようと試みたが、最終的には衆議院で後者のみが賛成、参議院では与党のみで可決となった。

その後も安倍政権は、安全保障に関わる法案で維新など「第三極」の取り込みに注力する。そもそも安倍は首相として再登板する前から菅義偉を通じて、大阪維新の会を立ち上げた大阪市長の橋下徹と気脈を通じており、橋下が安倍に党首への就任を要請する一幕もあった。安倍はこの後も安保関連や歴史認識、そして憲法改正などで維新との連携を匂わせたが、そこには連立を組む公明党への牽制カードという色彩を見て取ることもできよう。

また安倍は活発な外遊を行い、訪問先は二〇一四年秋には歴代首相で最多の五〇ヵ国に達した。これも安定した政権基盤を手に入れたことの成果であった。首相が「ねじれ国会」や党内不和など内向きの手当てに追われ、一年刻みで退陣を繰り返す光景を見慣れた世論にとって、「地球儀を俯瞰《ふかん》する外交」と銘打った安倍の活発な外遊は、力強いものに映ったことは間違いない。安倍は政権支持率が底堅い理由について「結果じゃない。「動いている」感覚が大事だ」と言うが、華やかな外遊は首相の存在感を際立たせ、「動いている感じ」を演出する上で格好の材料となっている。(1)

朴槿恵大統領とのすれ違い

これに対して領土や歴史問題で摩擦を抱える中国、韓国との首脳会談は実現しないままであった。特に二〇一三年二月に就任した韓国の朴槿恵《パククネ》大統領は「原則重視」を掲げ、対日関係でも歴史問題などで進展がない限り安倍首相との会談に応じないという姿勢をとった。またアメリカなど第三国でも歴史問題での日本の対応を批判した。朴は歴史認識をめぐる対日不信感に加え、国内の反対を押し切って日韓国交正常化を断行した朴正熙元大統領の娘であることから、「親日」と見られることを警戒しているのではないか、日本よりも中国を重視する外交スタンスが反映しているのではないかといった見方がなされた。

日本側で朴の大統領就任式に参列した麻生太郎副総理兼財務相が四月に靖国神社に参拝し、安倍首相が慰安婦に関する河野談話の見直しを示唆するといった動きも、朴の警戒感に拍車をかける要因であった。安倍首相は二月に講演で「朴正熙元大統領は最も親日的な大統領だった」と述べ、朴への親近感を示そうとしたが、朴槿恵にとってはアキレス腱にあえて触れる言動でしかなかったであろう。[2] 安倍政権は韓国との関係を改善して対北朝鮮で日中韓の結束を固め、併せて領土や歴史をめぐる中国・韓国との二正面作戦を避けることを意図した。安倍は韓国について民主主義という価値を共有しているとしばしば述べたが、歴史の桎梏《しっこく》がそれを上回る日韓関係であった。

両首脳の間のあからさまに冷ややかな関係は、かつての「韓流ブーム」が冷え込んでいた日韓間を、国民感情レベルにおいてもさらにささくれ立ったものとしたことは否めない。安倍と朴は、対北朝鮮政策で支障が出ることを懸念したオバマ大統領の仲介によって、二〇一四年三月二六日にオランダでようやく三者同席の形で会談を行った。二〇一五年一二月には懸案であった慰安婦問題について、日韓間で解決に向けた合意が成立した。これが問題の沈静化につながるのか注目される。

日中衝突への危惧

安倍首相は中国に対しては尖閣をめぐって「(中国が) 力による現状変更を試みている」として妥協しない方針を強調しながら、「ドアは常に開いている」と対話を呼びかける姿勢もとった。アメリカも日本と中韓の関係が極度に悪化することを懸念して関係改善を求めていた。二〇一三年八月の終戦記念日に安倍が靖国参拝を見送ったのも、参拝よりも中韓との関係改善を優先する判断であった。

安倍首相の活発な外遊には、インドや東南アジア諸国、モンゴル、豪州など中国を取り巻く国々との関係を深めることによって、中国を牽制するねらいが込められているのではと見なされた。しかしそれらの国々の多くにとって中国は最大の貿易相手であり、対中関係の安定と深化に注力している。仮に日本から見れば「対中包囲網」だとしても、それが客観的に成り立っているかについては、留保も必要であろう。

こうした中、中国は二〇一三年一一月二三日、尖閣諸島上空を含む東シナ海に防空識別圏を設定したと発表した。これは不審な航空機の領空への接近を警戒するため領空の外側に設定するもので、日本側は東シナ海でも占領期のものを引き継ぐ形ですでに設定済みである。このため日中の識別圏が重なることになった。アメリカはその直後に中国の防空識別圏内に二機のB52爆撃機を飛行させ、設定を認めない姿勢を示した。一方、中国が自国の識別圏を民間機が飛行する際、事前に飛行計画の提出を求めた問題では、日本政府がこれを拒むよう航空会社に要請したのに対し、米政府は容認するなど足並みの乱れも見られた。

またこれに先立つ同年一月には東シナ海で中国海軍のフリゲート艦が海自護衛艦に対して攻撃の前段階にあたるレーダー照射を行っていたことが明らかとなるなど、東シナ海での日中の緊張は軍事的な色彩を帯びるようになっていた。

二〇一四年一月にスイスで開かれた世界経済フォーラム年次総会（ダボス会議）に出席した安倍首相は、日中間で「偶発的な衝突が起こらないようにすることが重要だと思う」と強調し、つづけて、第一次世界大戦では英独が互いにとって最大の貿易相手であったにもかかわらず戦争が起きたと述べた。安倍は開戦前の英独関係と今日の日中関係が「似ている」と発言したわけではなかったが、第一次大戦への言及は欧米メディアを中心に驚きをもって報道された。日中という世界的な大国間の緊張状態が軍事衝突にまで至るのか、世界が注視する状態になっていたことの証左であった。

安倍と習近平の会談は二〇一四年一一月に実現した。二年半ぶりの日中首脳会談である。「対話のドアは開かれている」としていた安倍との会談に中国側が応じた背景には、尖閣国有化後の緊張状態を一つの要因とした日本からの対中投資急減もあった。「新常態《ニュー・ノーマル》」という言葉で高度成長の終わりを説き始めていた習近平指導部にとって、日本との関係改善は経済的にも重要になっていたのである。

靖国参拝をめぐる波紋

二〇一三年一二月二六日、安倍首相は第二次政権発足から一年となるのにあわせて靖国神社への参拝を行った。首相による参拝は小泉政権以来七年ぶりであった。安倍は「中国、韓国の人々の気持ちを傷つける気持ちは、全くありません」とし、今後の参拝については「お話することは差し控える」と述べた。連立を組む公明党の山口那津男《なつお》代表には当日朝、安倍が電話で参拝を伝え、反対する山口に「賛同いただけないとは思います」と言い置いての参拝であった。[3]

安倍は第一次政権で参拝しなかったことを「痛恨の極み」と述べており、宿願を果たした形であった。また安倍に対する支持の堅い保守層からは参拝を期待する声が強く、それに応える意味もあった。この参拝に対して国内では「賛成」四一％・「反対」四六％（朝日）、「よかった」四三％・「よくなかった」四七％（毎日）、「評価する」四五％・「評価しない」四七％（読売）と評価は二分された。[4]

これに対して海外からの反応は批判的であった。中国、韓国からは早速強い批判が寄せられ、EUやロシア、シンガポール政府などからも懸念や批判が示された。中でも従来と比べて際立っていたのはアメリカの反応であった。在日米大使館はただちに声明を発して「日本の指導者が近隣諸国との関係を悪化させる行動をとったことに、米国は失望している」と表明した。小泉首相の参拝に対しては「国内問題だ」と一線を引いていたのとは明らかに異なる反応であった。

安倍首相の靖国参拝に先立つ一〇月三日には、訪日したケリー国務長官とヘーゲル国防長官が東京の千鳥ヶ淵《ちどりがふち》戦没者墓苑を訪れ献花をしていた。同墓苑は第二次世界大戦における身元不明者の遺骨を納める無宗教施設である。一〇月三一日には在日米大使館ナンバー2のカート・トン首席公使がブログで、この献花は「日本の歴代指導者が米国訪問時にアーリントン国立墓地の無名戦士の墓を訪問していることと、相通ずるものがあります」と記した。[5]安倍はかねてからアーリントン墓地を引き合いに靖国参拝の正当性を訴えていたが、アーリントンに相当するのは靖国ではなく千鳥ヶ淵墓苑ではないかという米側の見解を示唆するものであった。

辺野古推進と翁長知事の誕生

安倍首相周辺では、普天間基地の辺野古移設問題で進展があったことを、靖国参拝に対する米側の批判を緩和する材料にできると見ていた節がある。(6) 膠着状態がつづいていた普天間・辺野古問題だが、安倍首相による靖国参拝の前日（一二月二五日）、安倍は沖縄県の仲井《なか い》眞弘多《ま ひろかず》知事と会談し、辺野古への新基地建設をめぐって政府にとって最大のハードルとなっていた知事からの公有水面埋め立て許可について、承認を取り付けた。日米の当局者からすれば、歴代政権が手をつけられなかった難題を乗り越える成果であった。

しかし仲井眞知事による埋め立て承認は沖縄県内で強い反発を引き起こすことになった。そもそも仲井眞は再選された二〇一一年の知事選では、革新系の相手候補に対抗する必要もあって「普天間基地は県外移設へ」と主張して当選していた。だがその後、第二次安倍政権が成立すると、もともと保守系の仲井眞は菅官房長官と水面下で接触をつづけるようになった。そして二〇一三年一二月、上京中に足や腰の痛みを訴えて急遽入院した仲井眞は、密かに病院を抜け出して政府・与党側と最終的な調整を行い、前記の埋め立て承認表明となったのである。その際、政権側は沖縄振興予算の増額を提示し、これを仲井眞は「有史以来の予算」「良い正月になるなあ」と賞賛した。ちなみに「沖縄振興予算」とは沖縄向けの特別な上乗せではなく、沖縄に対する地方交付税と国庫支出金の別称に過ぎない。

この仲井眞の判断は公約を根底から覆すものだとして、沖縄県内では猛反発が生じる。特に振興策との引き換えが露骨だったことに対しては、「これまでの知事の公式発言からは「承認」という結論はとても引き出せない。(沖縄は)カネを積めば納得するという印象を発信したとすれば取り返しのつかない罪だ」(照屋義実《てるやよしみ》・沖縄県商工会連合会会長)といった批判が、本来仲井眞の支持基盤である経済界からも相次いだ。仲井眞は承認表明の直前、「承認を断った場合、振興計画などが現在のように進むのか、大変不安を感じる」と与党県議に漏らし、橋本政権期に大田知事が最終的に海上基地建設反対を明確にした途端、政府・与党が「大田降ろし」を意図して露骨に非協力的な姿勢に転じた過去も考慮したという(7)。地方自治体が中央政府と正面から対立する際の重さである。

政権側からすれば、こうして知事の埋め立て承認を取り付けたものの、水面下の工作によって公約を覆させるという政治手法は、すぐさま大きな壁にぶつかることになる。年が明けて二〇一四年一月一九日、辺野古を抱える名護市の市長選挙で、移設計画が持ち上がって以来初めて、受け入れ「推進」、「反対」をそれぞれ明確にした候補間の一騎打ちとなった。結果は反対を掲げた稲嶺進の当選であった。名護は元来保守地盤であり、仲井眞の承認に対する反発が作用したことは明らかであった。そして同年一一月の知事選挙で仲井眞は、自民党出身ながら保革を超えた「オール沖縄」による「辺野古新基地阻止」を前面に掲げた前那覇市長の翁長雄志《おながたけし》に対して、三六万票対二六万票（いずれも概数）と、現職としては異例の大差で敗北した。

翁長の就任直後、沖縄では、もともと沖縄における自民党の中枢に位置した人物だけに、翁長が政府と妥協的な姿勢をとるのではと見る向きもあった。しかし政権側は、辺野古移設は仲井眞の埋め立て承認によって「解決済み」だとして、沖縄担当相以外の閣僚は首相、官房長官を含め、会談に応じない姿勢をとった。

その後、二〇一五年夏にようやく、菅官房長官と翁長知事との協議が五回にわたって行われた。このとき国会では安保法制の審議が行われており、同法案への批判もあって安倍政権の支持率は急落していた。政権側には強権的なイメージを避けるため、安保法制と辺野古との「二正面作戦」を回避する意図があったといえよう。

法廷闘争にもつれ込む

この協議でも双方の溝は埋まらず、翁長は一〇月一三日に埋め立て承認の取り消しを沖縄防衛局に通知し、これに国も対抗措置をとった結果、国と県は法廷闘争に入った。国と沖縄県が法廷闘争に入るのは、村山政権時の一九九五年に、米軍用地強制使用に関わる代理署名を拒否した大田知事を国が訴えて以来二〇年ぶりである。本来は沖縄の基地負担軽減のシンボルとして打ち出されたはずの普天間返還だが、機能を強化した新基地建設へと、いつの間にか主目的が移行したと言わざるを得ない。

二〇一六年三月には福岡高裁那覇支部で工事中止を含む和解が成立した。その後、問題は総務省の第三者機関「国地方係争処理委員会」に移ったが、同委員会は両者の協議が不十分だとして対話を促した。しかしこの状態では工事が再開できないこともあって、国は一六年七月二二日、福岡高裁那覇支部に、翁長が埋め立て承認取り消しの撤回を求める政府の是正指示に従わないのは違法だとの確認を求める訴訟を起こした。九月一六日には、取り消しは違法だとして国が勝訴した。沖縄県は九月二三日に上告するとともに、あらゆる知事権限を行使して新基地建設を阻止するとしている。

この間、七月一〇日に投開票が行われた参議院選挙では、沖縄選出の自民党現職閣僚（沖縄・北方担当相）である島尻《しまじり》安伊子《あいこ》が落選した。衆参両院を通じて沖縄の選挙区から選出された自民党国会議員はゼロという異例の状況となったが、辺野古新基地をめぐる状況が反映していることは間違いあるまい。これに先立つ四月には沖縄本島中部でウォーキング中だった二〇歳の女性が殺害される事件が発生した。逮捕された米軍属の男性は殺人や強姦容疑で起訴され、六月にはこれに抗議する大規模な県民集会が開かれた。

翁長知事は「自由民主党出身の私は日米安保体制の重要性を十二分に理解しています。／

しかし、「辺野古新基地が唯一の解決策」という考え方に日米両政府が固執をすると、今後の日米安保体制に大きな禍根を残すのではないかと私は心配しています」と言う(8)。普天間返還の原点は、過重な米軍基地を抱える沖縄で事件事故が起きるたびに日米安保体制が足元から揺らぐ不安定な状況を緩和することであった。法廷闘争も辞さない新基地建設という現状は果たしてそのような方向に向けて進んでいるといえるのかどうか。現代日本外交において、この問題ほど短絡的対処が長期的リスクを増大させる危うさを孕んでいるものはないように思われる。

集団的自衛権と安保法制

全国レベルでは普天間・辺野古問題よりもはるかに大きな論争を巻き起こしたのが、安保法制であった。安全保障は歴史認識問題と並んで安倍首相の関心が高い分野であり、特に米側からの要望も強い集団的自衛権の見直しは、安倍が第一次政権でも有識者懇談会を立ち上げたものの、退陣によって果たせなかった課題であった。

安保関連法は最終的に二〇一五年九月一九日に参議院を通過して成立するが、その内容は集団的自衛権の一部見直しの他、海外における自衛隊の他国軍に対する後方支援や邦人救出、PKOでの「駆けつけ警護」など、安全保障やPKOに関わるさまざまな変更を、二本の法律に束ねたものであった。強引に二本の法律にまとめたことで十分な審議が行いづらくなったという批判もあったが、政権側からすれば速やかな国会通過の方が優先事項であった。「アベノミクス」への期待で政権支持率が底堅いうちに難題を進めようという思惑もあったであろう。

最大の焦点は集団的自衛権の見直しであり、安倍政権にとって大きな難関は、これまで集団的自衛権は違憲だとしてきた内閣法制局であった。そこで安倍は、従来内部昇格が不文律とされていた長官ポストに、外部から行使容認論者の小松一郎駐仏大使を任命するという手法をとった（二〇一三年八月八日に人事発令）。

有識者懇談会では集団的自衛権の全面的な解禁を提起したが、安倍は当初から限定的な行使容認にとどめる考えを持っていたと見られる(9)。また連立を組む公明党も全面的な行使容認には強い抵抗感を持っていた。結局、自公は日本と密接な関係にある他国に対する攻撃が発生し、それによって「我が国の存立が脅かされ、国民の生命、自由及び幸福追求の権利が根底から覆される明白な危険がある場合において」、日本が集団的自衛権を行使できるという文言で折り合った。

一方、米艦船に対する攻撃に自衛隊が応戦できるかといった課題の多くは、憲法解釈の変更をせずとも自衛権等で対応できるという指摘、あるいは有事とまでは言えないが警察権では対応できない「グレーゾーン事態」への法的手当てなど、集団的自衛権に最初から踏みこまず、個別具体的な課題から与野党合意の下で進めていく手法もあるという指摘もあった。

しかし安倍首相は憲法解釈の変更という点にこだわった。二〇一四年七月一日、自公は集団的自衛権の限定的行使を認める憲法解釈の変更で合意し、つづけて閣議決定とされた。

賛否が交錯する中で

この問題が広く世の関心を集める契機となったのは、二〇一五年六月四日の衆議院憲法審査会で、自民党が推薦した早稲田大学教授の長谷部恭男《はせべやすお》が、野党からの質問に答える形で集団的自衛権の行使は違憲だと述べたことである。安保関連法案は五月一五日に国会に提出されていた。その審議が行われている最中に、与党が推薦した憲法学者が、同法案が違憲だと指摘したのである。

これを機に、それまで内閣法制局が行使できないとしてきた集団的自衛権を、一内閣が憲法解釈を変更して行使容認に踏み切ることが許されるのかといった批判が広がることになった。同法案に反対する学生団体（ＳＥＡＬＤｓ）が結成されて注目を集めるといった動きも見られた。安保関連法案が成立する過程で安倍政権の支持率は三〇％台まで低下し、同法案についてもこの国会での成立に「反対」が「賛成」を概ね上回った。

いずれにせよ、同法案が大きな論争を引き起こしたことには違いない。それは不可避であったのか否か。「学者が「違憲」と言った時点で一拍（一国会）置くよ。自民党が衆議院に呼んだ参考人が言っちゃったんだから、あれは無理よ」「安全保障は野党第一党を味方につけなければいけない、争点にしちゃいけないんだ」と言うのは元首相の小泉である。[10] 後知恵の観も拭えないが、傾聴に値する部分もあるだろう。

安倍首相はなぜこの国会での成立を必須だと考えたのか。日米両政府が国際環境の変化に合わせて日米ガイドライン（「日米防衛協力のための指針」）を新たに改定することで二〇一四年末に合意しており、その実質交渉が始まる前に、安全保障法制の骨格を示す必要があるとされていた。しかし実際には、「ここで閣議決定しないと、ずっとできない」という安倍の強い意志があり、ガイドライン見直しがその理由に用いられた側面も強かった。[11] また安倍は同法案の国会提出に先立つアメリカ議会における演説（二〇一五年四月二九日）で、安保法制について「戦後、初めての大改革です。この夏までに、成就させます」と断言していた。

難題を前に、ときには断固たる姿勢をとることが「強い政治」なのか、それとも幅広い国民的合意をとりつけることによって裾野の広い安定がもたらされるのか。憲法と密接に関わる安全保障問題は、戦後日本の国論を二分するテーマであっただけに、その取り扱い方自体が、ときどきの政治にとって重要な問題なのであった。

「戦後七〇年」をめぐって

安保法制の国会審議が行われた二〇一五年夏は、終戦から七〇年目という節目の年でもあった。戦後五〇年の村山談話につづき、戦後六〇年の二〇〇五年には小泉首相が、村山談話を踏襲する談話を発表していた。歴史認識問題について強い拘(こだわ)りを持つだけに安倍首相の対応が注目されたが、八月一五日に戦後七〇年にあたっての談話を発出することになった。

ここでも有識者懇談会が設置され、そこでの議論も踏まえて最終的に発表された談話は、近現代の世界史に言及するこれまでにない長文となった。歴史認識に関わる根幹部分については、「痛切な反省と心からのお詫び」という村山談話の中核部分を記した上で、「こうした歴代内閣の立場は、今後も、揺るぎないものであります」と、自らが主語となることを避けつつも、実質的に村山談話を継承するものとなった。一方で「あの戦争には何ら関わりのない、私たちの子や孫、そしてその先の世代の子どもたちに、謝罪を続ける宿命を背負わせてはなりません」というくだりに、「安倍カラー」を反映したのではという指摘もなされた。

村山談話の「上書き」を試みれば、そこからの逸脱として内外の警戒を招く。一方で「安倍カラー」に期待する支持層への配慮も必要となる。苦心の末の長大な談話であった。

同日、東京・九段の日本武道館で執り行われた全国戦没者追悼式では天皇の「お言葉」に大きな変化があった。それまで「お言葉」は毎年、ほぼ同一のものであったが、この日は「深い反省」など、例年にはない言葉が用いられたのである。すなわち、「〔日本の〕今日の平和と繁栄」は「平和の存続を切望する国民の意識に支えられ」たものであること、そして「ここに過去を顧み、さきの大戦に対する深い反省と共に、今後、戦争の惨禍が再び繰り返されぬことを切に願い」、戦没者を追悼し日本・世界の一層の発展を「祈ります」との内容であった。

天皇皇后はこれに先立つ同年四月に、念願としていた太平洋戦争の激戦地、パラオのペリリュー島を、ヘリコプターなどを乗り継いで一泊二日で訪れ、戦没者の慰霊を行った。天皇は二〇一六年八月、生前退位の希望を有していることを明らかにしたが、同島での慰霊や、踏みこんだ「お言葉」など、戦後七〇年の節目の務めを無事に果たしたことが、生前退位の希望を表明する上で、「一つの節目になった」と宮内庁関係者は明かす[12]。

このように論争を呼ぶ局面も少なくない第二次安倍政権だが、近年にない安定した政権基盤を維持していることは確かである。ときに摩擦を引き起こしながらも、歴代の政権が手を付けられなかった難題を推進しているという評価もあるだろうし、その強引さが国家の基盤である国民統合を危うくするという危惧もあり得るだろう。

また観点を変えてみれば、安倍首相の靖国参拝に対して米政府が従来にない強い危惧を示したことで、今後の首相が参拝することは事実上困難になったように見える。安保法制と戦後七〇年談話をめぐっても、安倍政権の対応は、安倍首相の持論である「戦後レジームからの脱却」からすれば妥協や後退を強いられた面もあった。前者では集団的自衛権の全面的行使を諦め、後者では村山談話を実質的に継承した。それを政権側の現実的な対応と見るのか、あるいは逆に安倍首相ほどの拘りを持ちながらも、その枠組みを突破するのは困難なほど、「戦後レジーム」は強固であることを示したと見るのか、ここでも両方の見解があり得よう。

冷戦後の四半世紀

こうして米ソ冷戦の終結後、四半世紀に及ぶ日本外交の歩みを辿って浮かび上がるものは何であろうか。冷戦後日本外交にとって最大のテーマは、言うまでもなく安全保障であった。冷戦下の固定的な国際環境が流動化する中、手探りの対応を迫られることになったのである。湾岸戦争に始まって、「九・一一」後のアフガニスタン攻撃、そしてイラク戦争とつづくアメリカ主導の軍事力行使に対して、「カネ」だけでなくどこまで人的貢献、なかんずく自衛隊の活動をいかなる形で可能にするのかが政治の一大テーマとなった。その結果、対テロ、イラクと二度にわたる特措法が制定されることになった。対テロ特措法の延長をめぐって第一次政権時の安倍首相が退陣し、福田首相と小沢民主党代表の間で「大連立」が画策されるなど、政治の枠組みにも大きな影響を及ぼした。

その傍らで進行したのが、北朝鮮核危機であった。細川・羽田政権時の第一次核危機の際には、情報が必ずしも十分ではなかったこともあり、日本国内の世論はどこか「他人事」であったが、小渕政権時の一九九八年に、北朝鮮が発射したミサイルが日本列島の上を通過したあたりから、世論でも北朝鮮の核開発が日本自体への脅威であるという認識が強まった。さらに小泉訪朝で拉致の実態が明らかにされたことで、日本の北朝鮮に対する否定的な見方は決定的になった。日朝国交正常化によって北朝鮮を国際社会に取り込もうとした小泉訪朝の意図は、結果として逆方向に作用することになった。

また、テロとの戦いやイラク戦争後への対応が期限付きの特措法によって行われたのとは異なり、北朝鮮核危機への対応は周辺事態法の制定など、日本が本格的かつ恒久的な有事対応の仕組みを構築することにつながった。朝鮮有事に際して日米の連携が不十分だった場合、日米同盟自体が危機に瀕しかねないという日米当局者の危機感、そして日本の安全保障にとって朝鮮半島が持つ重みの反映であった。

そして中国台頭である。だが二〇〇〇年代前半の小泉政権期には、「中国脅威論」は主としてその経済的台頭に対する警戒感だったことを思い起こす必要がある。小泉首相が「中国の台頭は日本にとって脅威ではなく、チャンスである」と述べたのも、この文脈においてであった。それが近年のように軍事上の脅威だと見なす契機になったのは、野田政権下における国有化以降の尖閣諸島をめぐる日中間の緊張激化である。これ以降、日本の世論でも、南シナ海における中国の拡張主義的な行動を、尖閣など東シナ海と関連づける傾向が一挙に強まった。

こうしてみれば日本にとって安全保障上の課題が、一九九〇年代の「国際貢献」や「対米協力」に始まり、北朝鮮情勢への対応を経て、「中国台頭」に対する備えへと行き着く流れを見て取ることができる。冷戦後における国際情勢の流動化を前に、アメリカからの要請にどこまで応じるのかという課題から、中国台頭を前にして、いかに日米同盟の結束を固め、アメリカを引き留めるのかという問題関心への推移である。ジャパンマネーが世界を席巻した時代も遠くなり、「カネ」が日本外交の有力な手段として認識された時期も過ぎ去った。「世界第二の経済大国」に代わる日本の新たなアイデンティティは何か。それが近年の日本にとって、隠れたテーマなのかもしれない。

連立組み替えと外交・安全保障

前項でも触れたように、この間の安全保障政策の変化は、少なからぬ局面において国内政局、中でも連立与党の組み替えと連動することになった[13]。改めて俯瞰してみれば、宮沢政権下でのPKO関連法案は、社公民（社会・公明・民社）ブロックの最終的解体と自公民の接近を引き起こした。細川・羽田の非自民連立政権下で進行した第一次北朝鮮危機は、対応策をめぐって小沢率いる新生党と社会党の亀裂を加速させ、細川退陣後には有事対応を鍵とする連立組み替え工作が水面下で展開された。朝鮮有事の危機と重なったことが、非自民連立の弱点であった安全保障をめぐる不一致を露呈させ、短命に終わらせる要因の一つとなったのである。

つづく自社さきがけ連立の村山政権は逆に、北朝鮮をめぐる核危機がひとまず収束し、有事対応問題を棚上げすることで成立したとも言える。連立の枠組みは橋本政権にも受け継がれたが、最終的には沖縄の基地問題への対応を主要因の一つとして瓦解する。橋本政権下の自民党内では、自社さ連立維持派と保保連合を志向する動きがせめぎ合うが、そこでも焦点となったのが安全保障問題であった。

次いで小渕政権下では自自公（自民・自由・公明）の枠組みで、ガイドライン関連法が可決成立する。橋本政権下では社民党の難色で棚上げ状態にあった法案であった。それまで非自民連立、自社さきがけと、安全保障政策での不一致を内包する連立がつづいたが、自自公連立は一定の安定した枠組みを提供するものとも見えた。しかし存在感の埋没を懸念した小沢は連立を離脱し、やがて民主党に合流する。小沢は福田政権になると民主党代表として「大連立構想」に走るが、その核心部分は消費税引き上げと並んで、対テロ特措法の延長であった。

二〇〇九年には民主党が総選挙に大勝して鳩山政権が発足するが、参議院で過半数に満たなかったため、社民、国民新党との連立となった。鳩山が当初掲げた普天間基地代替施設の「最低でも県外」を撤回し、自公時代の辺野古案に回帰すると、これに反対する社民は連立を離脱し、連立瓦解の責任をとって鳩山は退陣する。

こうしてみれば、冷戦後日本政治の一つの特徴である頻繁な連立与党の組み替えは、外交・安全保障問題を一つの主要因としていることがうかがえる。それは、米ソ冷戦下の固定的な国際環境とイデオロギー対立を前提とした自社中心の五五年体制が、冷戦後の国際環境に直面したことを大きな要因として引き起こされた変化であった。

その中にあって自公の枠組みが比較的安定し、他が持続性を欠いた一因は、公明党と社民党（一九九六年までは社会党）の行動の違いである。社民党が安全保障政策の不一致を理由に複数回にわたって連立政権を離脱しているのに対して、憲法や安保問題をめぐって必ずしも自民党と一致しているわけではない公明党が連立を維持していることが、自公の安定をもたらしている。

二〇一五年の安保法制成立に至る局面で、自民党は公明党が閣外協力に転じるシミュレーションを行い、その場合は日本維新の会とみんなの党に賛成を求めることを想定した。結局、公明党の山口那津男代表は、「政策的な違いだけで（連立）離脱など到底考えられない」と、早々に「離脱カード」を封じた。[14] 社民党にとっては安保問題が党の存在意義そのものであるのに対し、公明党は「平和の党」を掲げつつも、組織維持自体が優先目標という違いがあると言えよう。

「非自民」の文脈

またこの四半世紀は、「非自民」形成の模索の歴史でもあった。細川・羽田の非自民連立政権は、顔ぶれなどからすると第一次民主党政権と言えなくもない（そこから公明党が抜けたのが、後の民主党政権である）。民主党政権では鳩山首相の「有事駐留論」が注目、あるいは懸念の眼差しを向けられたが、細川が同様に「有事駐留論」を唱え、小沢が国連中心主義を持論としていたことを看過すべきではなかろう。そこには冷戦後という新たな国際環境の息吹にあわせ、本来、米ソ冷戦に対応した仕組みであった日米安保体制をより柔軟な形に再構築し、日本の主体性を回復するという志向性があった。

しかし「冷戦後」が、緊張緩和や「平和の配当」を意味した時期はそう長くはつづかず、特に日本にとって「冷戦後」は、北朝鮮核危機や中国との軋轢など、絶え間ない危機の時代として認識されるようになる。安全保障面における「非自民」の模索は、「日米同盟重視」と、中韓などを念頭において「毅然たる外交」を掲げた野田政権によって、ひとまずは終止符が打たれることになった。それを外交・安全保障における国論の収斂として肯定的に見るのか、あるいは日本外交の幅が狭くなったとして懸念するのか、意見は分かれるところであろう。

地域主義の隆盛

この四半世紀のもう一つの文脈は、地域主義の隆盛である。一九八九年に米ソ首脳が冷戦終結を宣言したとき、今日では通例化して特段ニュースにもならないアジア太平洋における多国間枠組みは、そのほとんどがまだ存在しなかった。一九九三年に初めてAPEC首脳会議が開かれたとき、細川、クリントン、江沢民、そしてASEAN各国などアジア太平洋の各国首脳が一堂に会するそれまでにない光景は、新たな時代の到来を予感させるものであった。

その後、一九九七年のアジア通貨危機を契機として、ＡＳＥＡＮ＋３や東アジアサミット、そして日中韓首脳会議など、さまざまな多国間枠組みが発足し、定着することになる。この隆盛の背後にあったのは、深まる一方のアジア域内の経済相互依存であった。日本を含めたアジア諸国にとって、冷戦後初期には対米貿易が首位を占めていたが、今や中国が最大の貿易相手という国が大半で、日本もその例外ではない。

日本においてもＡＳＥＡＮ＋３や日中韓首脳会議の発足で主導権を発揮した小渕首相、東アジアコミュニティを提唱した小泉首相、東アジア共同体を提起した福田首相など、アジア地域主義の形成でリーダーシップを発揮することは、安全保障面での体制強化と並んで、冷戦後日本外交の軸の一つであった。

それが鳩山政権の東アジア共同体構想になると、鳩山首相の「有事駐留論」と相まって、もっぱら「離米」の動きとして受け取られることになる。つづく菅政権は対米関係修復の意図もあってＴＰＰ加盟を政治課題に設定し、野田政権になるとＴＰＰと日米安保の二本柱で日米関係の緊密化を図るという図式に至る。

日本が関わる地域主義は、ＡＳＥＡＮ＋３など「東アジア」を範囲とするものと、ＡＰＥＣ、ＴＰＰなど「アジア太平洋」を対象にするものとがある。漁船衝突事件や国有化を経て尖閣をめぐる日中関係が緊迫するにつれて、日本ではアメリカとの結びつきを強化する必要が意識され、「東アジア」を念頭においた地域主義への熱意と関心は、すっかり後景に退いた観がある。また、経済規模で中国が日本を凌駕する現状にあっては、「東アジア」での地域主義は中国主導となる可能性が否めない。しかしながら、領土や歴史を発火点とする緊張の一方で、今後の経済成長を考えれば中国を筆頭とするアジアとの関係を深めることを抜きにして日本の前途は展望できないのも確かである。そのような条件下でいかなる形の地域主義が構想されうるのか。近年では領土や歴史問題の陰に隠れがちな、しかし重要な課題なのである。

浮き彫りになる課題

安全保障と地域主義を二本柱とする冷戦後日本外交の展開を俯瞰したとき、今後に向けていくつかの課題が浮き彫りとなる。湾岸戦争に始まり、「テロとの戦い」、北朝鮮核危機と切れ目なく押し寄せた安全保障上の課題については、賛否があるにせよ相当程度の体制整備がなされたことは確かである。その一方、残された課題のうち最大のものは、日本が中国を筆頭とする近隣諸国といかにして安定的な関係を構築するかという点である。

近年の日中、日韓関係の軋轢は、前者においては尖閣諸島、後者においては慰安婦問題と竹島が最大の発火点である。本論で扱った経緯を振り返れば、いずれにおいても日本政府と相手側との意思疎通が円滑さを欠いたことが、問題を必要以上にこじれさせたことが見て取れる。しかも領土と歴史という双方の国民感情に直結する問題であったことが、各々の国内世論を巻き込んで事態をひどく悪化させることになった。

日本側においては特に尖閣をめぐる中国との緊張について、鳩山政権下で日米同盟を疎かにしたことが、かかる事態を招来したのだという「教訓」として認識され、尖閣は日米安保条約の適用範囲だという言質を米政府から引き出したことが外交成果とされた。しかし米政府が野田政権による尖閣国有化を不安視し、「よく注意してほしい。あなた方は今後、長期にわたって起こることについて、引き金を引くことになるかもしれない」（キャンベル国務次官補）と警告していたことを忘れるべきではなかろう。

日米同盟の強化で事態のさらなる悪化に備えることは必要だが、対処すべき本筋の課題は、中国側と意思疎通を図り、円滑な危機管理を可能にする体制の構築にあったというべきであろう。いわば日中共存の枠組みである。しかし、かつて自民党竹下派が担ったパイプはすでになく、竹下派が自民党内の実権を握りつづけることで可能になったそのスタイルを再現することも不可能であろう。日本国内でも「毅然とした外交」が与野党を問わず人気を博す中、この課題を担おうとする政治勢力は不在に近い。

日中という世界的な大国間の関係が不安定化すれば、東アジアのみならず、国際秩序全体にとっても大きなリスクとなる。「日中関係が悪ければ日本が米国のお荷物になってしまう」（福田康夫元首相）という観点も忘れるべきではなかろう。

北朝鮮と沖縄の基地問題も、この四半世紀の大半を通じ、日本の政治外交にとって継続的な課題となってきた。前者の小泉訪朝、後者の橋本首相による普天間返還合意と、いずれも劇的な「サプライズ外交」の対象になったことと、その後の事態の混迷とは無縁ではあるまい。前者においては拉致被害者の多くが「死亡」という予想外の通告、後者においては最大の難関である「代替施設」が未定のままでの返還合意が、結果的に問題を難しくしてしまった。一方、前者でいえば一部拉致被害者の帰国、後者でいえば普天間基地の返還が日米の合意事項となったことは、それぞれの「サプライズ外交」の成果ではあった。今後についていえば、それぞれの本来の目的を思い起こすこと、すなわち、前者では核と拉致の問題を解決し、北朝鮮を国際社会に引き込んで安定化させること、後者においては代替施設が新基地に変貌するという倒錯した現状を、「返還」という本来の道筋に引き戻すことが不可欠である。

本書の主題の一つは、冷戦後における国際環境が日本の国内政治をいかに変容させ、その国内政治を基盤とする日本外交が、今度はいかなる影響を国際政治に及ぼしていったのか、その相互作用を考察することであった。振り返ってみれば国際環境の変容と、日本の権力の再構成という相互作用は、黒船来航から維新に至る幕末・明治以降、一九二〇年代におけるワシントン体制と政党政治、三〇年代における国際秩序の不安定化と軍部台頭、そして冷戦と五五年体制と、戦前・戦後の日本を貫くテーマであった(15)。冷戦後における日本の政治と外交も、そのような相互作用の新たな段階と見なすことができるのである。

あとがき

私にとって本書のテーマの発端は、二一世紀が始まってまだ間もない二〇〇一年のことであった。振り返ってみれば一五年も前のことだが、その時点では、自分がこのような本を書くとは考えもしなかったというのが正直なところである。

この年、春の国際政治学会で、当時、神戸大学教授でおられた五百旗頭《いおきべ》真《まこと》先生（現・熊本県立大学）に、歴代首相をはじめとする現代日本外交の当事者に対してインタビューを行う企画の手伝いをと、お声がけいただいた。日本国際問題研究所が刊行する『国際問題』が五〇〇号を迎えることを記念した企画であった。五百旗頭先生に付き従って、宮沢喜一元首相に始まり、中曽根康弘、橋本龍太郎、在外研究に出た五百旗頭先生から同企画を引き継いだ北岡伸一先生（現・国際協力機構）の下で、瀬島龍三、松永信雄、海部俊樹といった方々にお話をうかがう機会に恵まれた。歴代首相や外交官、そして「大本営の参謀」と、当時、一介の大学院生であった私にとっては、眼前で現実政治と歴史が交錯するかのようであった。

その後、まとまった記録を残さないまま逝去した橋本元首相について、上記企画における橋本氏の語りが緻密かつ長大なものだったことから、『橋本龍太郎外交回顧録』(岩波書店、二〇一三)として刊行することになった。そこで解題を担当することになったのだが、湾岸戦争時の蔵相に始まり、日米貿易摩擦が最も激しかった時期の通産相、そして首相としての日米安保再定義や普天間基地返還合意、ユーラシア外交と、橋本氏の足跡はそのまま、冷戦後の日本外交を考察することであった。

その延長線上にあるとはいえ、中央公論新社の田中正敏氏がおられなければ、本書が成立することはなかっただろう。最初に田中さんが打診して下さったテーマは、沖縄の現代史であったと記憶する。当時、私にとってはいささか難しいのではないかと思い、あれこれと話しているうちに冷戦後の日本外交を歴史として再構築するという主題が浮かび上がった。沖縄の基地問題がその重要な一部であることは言を俟たない。そして本書の執筆を進めるうちに沖縄の部分は膨張して収まり切らなくなり、普天間返還合意をめぐる「謎解き」を中心に、別途刊行することになった(宮城大蔵・渡辺豪『普天間・辺野古　歪められた二〇年』集英社新書、二〇一六)。結局、二冊の本を刊行することにつながったのだから田中さんの慧眼《けいがん》という他ないが、沖縄をめぐる状況が波立つばかりゆえと考えれば、心痛を禁じ得ない。

渡邉昭夫先生(現・平和・安全保障研究所)、山口二郎先生(現・法政大学)には、この四半世紀の日本の政治外交について、半ば当事者としての示唆に富むお話をたびたびうかがった。日本再建イニシアティブ(船橋洋一理事長)の「中道保守再生プロジェクト」における多彩な当事者に対する聞き取りも、現代日本の政治外交について理解を深める上で非常に有益であった。

本書は中公新書の一冊として刊行されるが、私にとって中央公論の名は、粕谷一希《かすやかずき》さんと切り離すことができない。『中央公論』を舞台に戦後の言論・ジャーナリズム界において一時代を築き上げた粕谷さんだが、私にとっては学生時代、アルバイト先（都市出版『外交フォーラム』編集部）の社長であった。時折、お昼に誘って下さる粕谷さんに、今にして思えば随分と生意気なことも言ったものである（拙稿「「今にして思えば…」の連続」『名伯楽 粕谷一希の世界』藤原書店、二〇一五）。その後、就職して数年後に舞い戻ってきたときも、私が研究者として本を書き始めたときも、粕谷さんはいつも「あとから思えば」というさりげなさで手を差し伸べて下さった。本書が刊行できたことを、深い感謝とともに天上の粕谷さんにご報告したいと思う。

本書の原稿はこの三倍近くあったのだが、紙幅の関係で省くことになった出来事も少なくない。また評価が確定しない同時代史を扱う以上、それぞれの局面について、本書の理解が不十分だというご意見やご批判もあるだろう。当事者、関係者の方々には、ぜひそれを筆者にご教示いただければと願っている。真摯に傾聴しつつ精査した上で、本書の内容を発展させる機会に活かすのが、歴史家の末端に連なる者としての役割だと考えている。

二〇一六年九月五日　東京・紀尾井町にて

宮城大蔵

註記

第1章

(1) 海部俊樹『政治とカネ』(新潮新書、二〇一〇)一七～一八頁。
(2) 栗山尚一『日米同盟――漂流からの脱却』(日本経済新聞社、一九九七)一七～一九頁。
(3)「海部俊樹　湾岸戦争での苦悩と教訓」『国際問題』No. 520(二〇〇三年七月)八一頁。
(4)『政治とカネ』一二二～一二三頁。
(5) 五百旗頭真他編『小沢一郎　政権奪取論』(朝日新聞社、二〇〇六)三〇～三六頁。
(6) 五百旗頭真・宮城大蔵編『橋本龍太郎外交回顧録』(岩波書店、二〇一三)二七～三一頁。手嶋龍一『一九九一年日本の敗北』(新潮社、一九九三)一一三～一二二頁。
(7)『橋本龍太郎外交回顧録』三八頁。
(8) 村田良平『村田良平回想録・下』(ミネルヴァ書房、二〇〇八)一一六頁。
(9)『橋本龍太郎外交回顧録』四一～四二頁。
(10)『国際問題』No. 520、八一～八六頁。
(11)『国際問題』No. 520、八六頁。
(12) 田中明彦『アジアのなかの日本』(NTT出版、二〇〇七)八六頁。
(13) H・シュワーツコフ『シュワーツコフ回想録』(新潮社、一九九四)三八二頁。
(14)『一九九一年　日本の敗北』三一八頁。
(15)『村田良平回想録・下』一一八～一一九頁。
(16)『東京新聞』二〇一五年九月一〇日。
(17) 御厨貴・牧原出編『聞き書　武村正義回顧録』(岩波書店、二〇一一)八三頁。
(18) 石井一『近づいてきた遠い国』(日本生産性本部、一九九一)一〇六～一二九頁。

(19)『近づいてきた遠い国』一三一～一三三頁。
(20)『武村正義回顧録』八六頁。
(21)『近づいてきた遠い国』ii～iii頁。同書に寄せた金丸本人執筆の「序文」より。
(22)村山治『特捜検察vs.金融権力』（朝日新聞社、二〇〇七）六四頁。
(23)『サンケイ新聞』一九八〇年一月七日。
(24)国会議事録・参議院予算委員会、一九八八年三月二六日。
(25)五百旗頭真他編『宮澤喜一――保守本流の軌跡』（朝日新聞社、二〇〇六）九四頁。
(26)清宮龍『改訂版　宮澤喜一・全人像』（行政問題研究所出版局、一九九二）三三頁。
(27)『宮澤喜一――保守本流の軌跡』四五頁、一五〇～一五五頁。
(28)木村汎『遠い隣国――ロシアと日本』（世界思想社、二〇〇二）六二五～六二六頁。『朝日新聞』一九九二年九月四日。
(29)ボリス・エリツィン『エリツィンの手記・上』（同朋舎出版、一九九四）二五〇～二五三頁。
(30)枝村純郎『帝国解体前後』（都市出版、一九九七）二七三～二八四頁。
(31)レフ・スハーノフ『ボスとしてのエリツィン――ロシア大統領補佐官の記録』（同文書院、一九九三）二六六～二六七頁。
(32)城山英巳『中国共産党「天皇工作」秘録』（文春新書、二〇〇九）五六～五八頁。
(33)『中国共産党「天皇工作」秘録』七～一一頁。
(34)『中国共産党「天皇工作」秘録』一二六～一二七頁。
(35)御厨貴・渡邉昭夫インタビュー・構成『首相官邸の決断――内閣官房副長官　石原信雄の２６００日』（中央公論社、一九九七）一〇一頁。『朝日新聞』一九九五年五月二六日。
(36)『宮澤喜一――保守本流の軌跡』一八四頁。
(37)高原明生・服部龍二編『日中関係史　１９７２－２０１２　Ｉ　政治』二七八～二七九頁。『読売新聞』一九九二年一一月九日。
(38)『中国共産党「天皇工作」秘録』一三五頁。

(39) 五百旗頭真他編『外交激変　元外務省事務次官　柳井俊二』（朝日新聞社、二〇〇七）七七頁。佐々木芳隆『海を渡る自衛隊』（岩波新書、一九九二）五四～五八頁。
(40) 金丸信『立ち技寝技：私の履歴書』（日本経済新聞社、一九八八）八四頁。
(41) 小和田恆『外交とは何か』（日本放送出版協会、一九九六）二二二頁。
(42)『海を渡る自衛隊』二一三～二一四頁。
(43)『小沢一郎　政権奪取論』一二〇頁。
(44) 島田裕巳『公明党vs.創価学会』（朝日新書、二〇〇七）第三章。
(45)『宮澤喜一——保守本流の軌跡』一六五～一六七頁。
(46) 今川幸雄『カンボジアと日本』（連合出版、二〇〇〇）二〇一頁。
(47)『毎日新聞』一九九一年一一月二九日。ジェームズ・A・ベーカー『シャトル外交激動の四年・下』（新潮社、一九九七）五五一～五五二頁。
(48)『日本経済新聞』一九九一年一〇月二日。『毎日新聞』一九九一年一一月二九日。
(49)『アジアのなかの日本』一一三～一一四頁。船橋洋一『アジア太平洋フュージョン——ＡＰＥＣと日本』（中央公論社、一九九五）三一三頁。

第2章

(1) 細川護熙『内訟録——細川護熙総理大臣日記』（日本経済新聞出版社、二〇一〇）一一五頁。
(2)『内訟録』三七一頁。
(3)『内訟録』三五四頁。
(4) 渡邉昭夫へのインタビュー、二〇一一年八月九日。
(5) 同右。「渡邉昭夫教授「人生と学問を語る」」『青山国際政経論集』五四号（二〇〇一年九月）六一～六三頁。
(6) 船橋洋一『同盟漂流』（岩波書店、一九九七）二六四頁。Morihiro Hosokawa, "Are U.S. Troops in Japan Needed?", *Foreign Affairs*, July/Aug. 1998.
(7)『同盟漂流』二六五頁。

(8) 大田昌秀『沖縄の決断』(朝日新聞社、二〇〇〇) 一六〇頁。
(9) ドン・オーバードーファー『二つのコリア――国際政治の中の朝鮮半島』(共同通信社、一九九八) 三五八頁、三七〇頁。
(10)『朝日新聞』一九九六年一二月二四日。
(11) 田中均『外交の力』(日本経済新聞出版社、二〇〇九) 六二頁。
(12)『首相官邸の決断』一四〇~一四一頁。『AERA』一九九四年六月六日号。
(13)『内訟録』三八〇頁。
(14)『朝日新聞』一九九六年一二月二四日。
(15)『二つのコリア』三七三~三七四頁。
(16)『朝日新聞』一九九六年一二月二四日。
(17)『内訟録』三八二頁。
(18)『日本経済新聞』二〇一二年四月一二日。
(19)『日本経済新聞』二〇〇〇年一月一一日。
(20)『日本経済新聞』二〇〇〇年一月一一日。『朝日新聞』一九九六年一二月二四日。
(21)『朝日新聞』一九九六年一二月二四日。
(22)『外交激変』一四六頁。
(23)『橋本龍太郎外交回顧録』五五頁。
(24)『外交激変』一五二頁。『橋本龍太郎外交回顧録』五六頁。

第3章

(1) 五百旗頭真他編『森喜朗　自民党と政権交代』(朝日新聞社、二〇〇七) 一六五~一六六頁。
(2) 村山富市『そうじゃのう……――村山富市「首相体験」のすべてを語る』(第三書館、一九九八) 五六~五七頁。
(3)『そうじゃのう…』六八~七一頁。『首相官邸の決断』一七九~一八〇頁。
(4)『そうじゃのう…』一〇九~一一〇頁。

(5) 五百旗頭真他編『野中広務　権力の興亡』(朝日新聞社、二〇〇八) 一四五頁。
(6) 篠宮良幸『とんちゃん雲にのる——庶民宰相　村山富市』(泰流社、一九九四) 一三九～一四〇頁。
(7) 国会会議録、参議院決算委員会、一九九四年九月一六日。
(8)『沖縄の決断』一七九頁。
(9)『琉球新報』一九九五年九月二〇日。『吉元政矩　(元沖縄県副知事) オーラルヒストリー』(政策研究大学院大学、二〇〇五) 七五頁。
(10) 村山富市・佐高信『「村山談話」とは何か』(角川書店、二〇〇九) 一六〇～一六一頁。
(11) 波多野澄雄『国家と歴史』(中公新書、二〇一一) 五～六頁。
(12)『「村山談話」とは何か』二四～二五頁。
(13)『「村山談話」とは何か』四八～四九頁。『そうじゃのう…』一〇五～一〇八頁。『外交激変』一二六頁。『朝日新聞』一九九五年八月一六日。
(14)『朝日新聞』一九九五年八月一七日。
(15)『そうじゃのう…』一〇七頁。『「村山談話」とは何か』五一頁。
(16)『「村山談話」とは何か』五一頁。『毎日新聞』一九九五年八月一五日夕刊。
(17)『橋本龍太郎外交回顧録』六三～六四頁。
(18)『橋本龍太郎外交回顧録』六六頁。
(19) 折田正樹『外交証言録　湾岸戦争・普天間問題・イラク戦争』(岩波書店、二〇一三) 一九六頁。
(20)『橋本龍太郎外交回顧録』六五頁。
(21)『湾岸戦争・普天間問題・イラク戦争』一九六～一九七頁。
(22)『同盟漂流』二四～二九、七一頁。
(23) 秋山昌廣『日米の戦略対話が始まった』(亜紀書房、二〇〇二) 一九六～一九八頁。
(24)『朝日新聞』一九九六年六月一七日。
(25)『朝日新聞』一九九六年六月一九日、一九九九年一一月一一日。
(26)『朝日新聞』二〇一三年六月二日。

(27)『日本経済新聞』一九九六年四月二六日。
(28)『同盟漂流』四七三〜四七四頁。
(29)『橋本龍太郎外交回顧録』七六頁。
(30)『同盟漂流』四二四頁。
(31)参議院内閣委員会における加藤良三外務省アジア局長の答弁。一九九六年三月一五日。
(32)『橋本龍太郎外交回顧録』一六九頁。
(33)『朝日新聞』一九九六年六月一八日。
(34)『読売新聞』一九九七年九月六日。
(35)『沖縄の決断』二〇七〜二〇八頁。『同盟漂流』四頁。
(36)『橋本龍太郎外交回顧録』七一頁。『同盟漂流』五一三頁。『琉球新報』二〇一五年一一月九日。
(37)『朝日新聞』一九九六年六月二三日。
(38)『AERA』二〇一六年九月五日号。
(39)同右。
(40)『朝日新聞』一九九九年一一月一一日。宮城大蔵・渡辺豪『普天間・辺野古　歪められた二〇年』(集英社新書、二〇一六)四一〜四六頁。
(41)『湾岸戦争・普天間問題・イラク戦争』二〇八頁。
(42)『AERA』二〇一六年九月五日号、前掲記事。
(43)『朝日新聞』一九九七年四月一八日。
(44)『朝日新聞』一九九七年四月一八日。
(45)『橋本龍太郎外交回顧録』八一〜八二頁。
(46)丹波實『日露外交秘話』(中央公論新社、二〇〇四)一五頁。
(47)『橋本龍太郎外交回顧録』一〇七頁。
(48)『日露外交秘話』一二頁。
(49)『橋本龍太郎外交回顧録』八七〜八八頁。

(50) 東郷和彦『北方領土交渉秘録』(新潮社、二〇〇七)二四一〜二四二頁。『朝日新聞』一九九八年一月六日。
(51)『外交フォーラム』二〇〇〇年一二月号。
(52)『日露外交秘話』五〇〜五一頁。丹波實『わが外交人生』(中央公論新社、二〇一一)一八九頁。
(53)『日露外交秘話』五七頁。
(54)『日露外交秘話』六四〜六六頁。
(55)『北方領土交渉秘録』二八〇頁。

第4章

(1) 政府官公資料頒布会編著『追悼　小渕恵三』(政府官公資料頒布会、二〇〇一)一三一〜一三二頁。
(2) NHK「永田町 権力の興亡」取材班『永田町　権力の興亡　1993-2009』(NHK出版、二〇一〇)一三四〜一四二頁。
(3)『朝日新聞』一九九九年四月二七日、五月二五日。
(4) 魚住昭『野中広務　差別と権力』(講談社、二〇〇四)十四〜十五章。
(5)『読売新聞』一九九九年五月二五日、一九九九年四月二八日。
(6)『朝日新聞』一九九八年一二月一五日。
(7)『外交の力』八六〜八七頁。薬師寺克行『外務省』(岩波新書、二〇〇三)六三〜六五頁。『AERA』二〇〇四年一一月八日号。
(8)『外務省』六五〜七〇頁。
(9)「21世紀日本の構想」懇談会『日本のフロンティアは日本の中にある』(講談社、二〇〇〇)第六章。
(10) 金大中『金大中自伝Ⅱ　歴史を信じて』(岩波書店、二〇一一)八四頁。
(11)『朝日新聞』一九九八年一〇月二〇日。
(12)『金大中自伝Ⅱ』八七頁。
(13)『朝日新聞』一九九八年一〇月九日。
(14) ここでの天皇の発言について、引用元が金大中の自伝(『自伝Ⅱ』八六頁)であることから、クロスチェックを行うとすれば、天皇は二〇〇二年の日韓共催ワールドカップを前にした記者会見で、「私自身としては、桓武天皇の生母が百済の武寧王の子孫であると続日本紀に記されていることに、韓国とのゆかりを感じています」（『朝日新聞』二〇〇一年一二月二三日。要旨）と発言しており、金大統領との会話もこれに近いものだったと見てよかろう。

(15)『金大中自伝Ⅱ』八六〜八七頁。
(16)「前代未聞　現職総理に直撃ロングインタビュー」『文藝春秋』一九九九年一〇月号。
(17)『毎日新聞』一九九八年一〇月一〇日。
(18)『朝日新聞』一九九八年一〇月九日。
(19)『毎日新聞』一九九八年一〇月一〇日。
(20)『AERA』一九九八年九月二八日号。
(21)『中国共産党「天皇工作」秘録』一九〇頁。読売新聞政治部『外交を喧嘩にした男』（新潮社、二〇〇六）二二五頁。
(22)『中国共産党「天皇工作」秘録』一九七頁。『日中関係史　1972−2012 Ⅰ 政治』三二九〜三三〇頁。
(23)服部龍二『日中歴史認識』（東京大学出版会、二〇一〇）二八〇頁。『朝日新聞』一九九八年一一月二九日。『中国共産党「天皇工作」秘録』一九三〜一九四頁。
(24)『朝日新聞』一九九九年一一月二九日。
(25)『日本経済新聞』一九九九年一一月二九日。『朝日新聞』一九九九年一一月二九日。
(26)高橋哲哉・山影進編『人間の安全保障』（東京大学出版会、二〇〇八）二三〇〜二三三頁。
(27)『毎日新聞』一九九八年一二月一六日。
(28)ロバート・E・ルービン&ジェイコブ・ワイズバーグ『ルービン回顧録』（日本経済新聞社、二〇〇五）三〇五頁。
(29)岸本周平（通貨危機当時は、大蔵省国際局アジア通貨室長）「アジア金融戦略の展開」末廣昭・山影進編『アジア政治経済論』（NTT出版、二〇〇一）二九三頁。
(30)榊原英資『日本と世界が震えた日』（角川文庫、二〇〇五）一八一〜一九一頁。黒田東彦『通貨の興亡』（中央公論新社、二〇〇五）一八二頁。
(31)『追悼　小渕恵三』一八〇頁。亜土久『宰相・小渕恵三』（おりじん書房、二〇〇二）三八三頁。

(32)『琉球新報』二〇〇〇年七月二三日。
(33)『追悼　小渕恵三』一七九頁。『日本経済新聞』二〇一一年九月一八日。
(34)『追悼　小渕恵三』一八四頁。
(35)『日中関係史　１９７２－２０１２　Ｉ政治』三六〇頁。
(36)『日本経済新聞』二〇〇〇年七月二一日。
(37)『朝日新聞』二〇〇〇年七月二一日。
(38)森喜朗『私の履歴書　森喜朗回顧録』(日本経済新聞出版社、二〇一三)二二三頁。『毎日新聞』二〇〇一年一月一四日。
(39)『朝日新聞』二〇〇一年一月一〇日。
(40)『私の履歴書　森喜朗回顧録』二〇八頁。
(41)五百旗頭真他編『森喜朗　自民党と政権交代』(朝日新聞社、二〇〇七)二三〇、二五一頁。
(42)『毎日新聞』二〇〇一年四月八日。
(43)『朝日新聞』二〇〇一年四月四日。
(44)『日本経済新聞』二〇〇〇年八月二六日。

第5章

(1)読売新聞政治部『外交を喧嘩にした男』(新潮社、二〇〇六)。
(2)『朝日新聞』二〇〇一年八月一三日。
(3)『読売新聞』二〇〇一年八月七日。『毎日新聞』二〇〇一年八月一〇日。『日中関係史　１９７２－２０１２　Ｉ政治』三九〇〜三九一頁。
(4)『外交を喧嘩にした男』二二七、二三九頁。
(5)『外交を喧嘩にした男』二三六〜二四七頁。
(6)『読売新聞』二〇〇二年一二月二五日。
(7)『朝日新聞』二〇〇一年六月二六日、七月四日。『外交を喧嘩にした男』二四〇〜二四七頁。

（8）『日本経済新聞』二〇〇一年七月一日。
（9）『外交激変』二四七頁。
（10）『外交を喧嘩にした男』一二二〜一二三頁。
（11）『外交を喧嘩にした男』一二四〜一二五頁。
（12）飯島勲『小泉官邸秘録』（日本経済新聞社、二〇〇六）一二三頁。
（13）久江雅彦『九・一一と日本外交』（講談社新書、二〇〇二）二三〜二七頁。
（14）『朝日新聞』二〇〇一年九月二七日。
（15）『九・一一と日本外交』三一〜三三頁。
（16）『外交を喧嘩にした男』一三一〜一三四頁。『九・一一と日本外交』九二〜九三頁。
（17）飯島勲『小泉官邸秘録』一三三〜一三四頁。『外交を喧嘩にした男』一三七〜一三八頁。
（18）『外交を喧嘩にした男』一五〇〜一五一頁。
（19）『外交を喧嘩にした男』一六〇〜一六一頁。山崎拓『YKK秘録』（講談社、二〇一六）二八三頁。
（20）『小泉官邸秘録』一七四〜一七五頁。
（21）『外交を喧嘩にした男』一五六〜一五七頁。
（22）後藤謙次『ドキュメント平成政治史2』（岩波書店、二〇一四）二八七〜二八八頁。『読売新聞』二〇〇三年六月二二日。
（23）『九・一一と日本外交』五一〜五六頁。
（24）『小泉官邸秘録』一七八頁。
（25）NHK「クローズアップ現代」二〇一四年四月一六日放送。http://www.nhk.or.jp/gendai/articles/3485/1.html
（26）『外交を喧嘩にした男』一八〇〜一八二頁。
（27）船橋洋一『ザ・ペニンシュラ・クエスチョン』（朝日新聞社、二〇〇六）一三〜一四頁。
（28）『外交を喧嘩にした男』一六〜一七頁。
（29）『外交を喧嘩にした男』二〇〜二二頁。
（30）『朝日新聞』二〇〇二年八月三一日。

(31)『外交を喧嘩にした男』二二～二六頁。
(32)『外交の力』一〇九、一一五頁。
(33)『外交を喧嘩にした男』二六～二八頁。『外交の力』一一九～一二〇頁。
(34)『外交を喧嘩にした男』二九～三〇頁。
(35)『朝日新聞』二〇〇二年八月三一日。『読売新聞』二〇〇二年九月一九日。
(36)『ザ・ペニンシュラ・クエスチョン』五～六頁。『外交を喧嘩にした男』三四～三五頁。
(37)『ザ・ペニンシュラ・クエスチョン』一一頁。
(38)『外交を喧嘩にした男』三六～三八頁。
(39)『毎日新聞』二〇〇二年九月一八日。
(40)『ザ・ペニンシュラ・クエスチョン』一〇三～一〇四頁。
(41)『毎日新聞』二〇〇二年九月一九日。
(42)『外交を喧嘩にした男』四三～四五頁。『朝日新聞』二〇〇二年一一月二七日。
(43)『読売新聞』二〇〇二年三月一五日、三月二〇日。
(44)『外交を喧嘩にした男』五九～六一頁。倉重篤郎『小泉政権一九八〇日・下』(行研、二〇一三) 五七～五八頁。
(45)『毎日新聞』二〇〇七年一一月一四日。『ザ・ペニンシュラ・クエスチョン』七六頁。『外交を喧嘩にした男』六三～六四頁。
(46)『外交を喧嘩にした男』六五～六七頁。
(47)『毎日新聞』二〇〇四年一二月二八日。『小泉政権一九八〇日・下』三六九～三七二頁。
(48)『小泉政権一九八〇日・下』三六八～三七二頁。『朝日新聞』二〇〇六年七月一七日。
(49)『朝日新聞』二〇〇四年一〇月二日。
(50)久江雅彦『米軍再編』(講談社現代新書、二〇〇五) 一三一～一三三頁。
(51)渡辺豪『「アメとムチ」の構図――普天間移設の内幕』(沖縄タイムス社、二〇〇八) 四三頁。
(52)『普天間・辺野古 歪められた二〇年』一〇七～一一〇頁。

第6章

(1)『小泉政権一九八〇日・下』四〇九～四一〇頁。『朝日新聞』二〇〇六年五月一日。
(2)『読売新聞』二〇〇六年七月一五日。『朝日新聞』二〇〇六年七月二三日。
(3)柿﨑明二・久江雅彦『空白の宰相』(講談社、二〇〇七)二一～二二頁。
(4)『小泉政権一九八〇日・下』四一〇～四一一頁。
(5)後藤謙次『ドキュメント平成政治史3』(岩波書店、二〇一四)一九頁。
(6)『朝日新聞』二〇〇六年一〇月七日。
(7)『読売新聞』二〇〇六年一〇月五日。『日中関係史　1972―2012　I　政治』四四三～四四四頁。
(8)『朝日新聞』二〇〇六年一〇月七日。
(9)読売新聞政治部『真空国会』(新潮社、二〇〇八)六三～六四頁。
(10)『朝日新聞』二〇〇七年四月一二日、四月一三日。
(11)『アジアのなかの日本』三一五頁。
(12)マイケル・グリーン前米国家安全保障会議上級アジア部長談。『朝日新聞』二〇〇六年九月二三日。
(13)安倍晋三『新しい国へ』(文春新書、二〇一三)四八～五〇頁。『ドキュメント平成政治史3』二五～二六頁。
(14)森喜朗・田原総一朗『日本政治のウラのウラ』(講談社、二〇一三)三一四、三一六頁。
(15)『朝日新聞』二〇〇七年三月一〇日。『空白の宰相』一九八頁。
(16)『ドキュメント平成政治史3』三二～三三頁。『新しい国へ』四〇～四一頁。『朝日新聞』一九九一年四月一九日。
(17)『空白の宰相』第四章。
(18)『朝日新聞』二〇〇七年八月九日、八月三〇日。
(19)『朝日新聞』二〇〇七年九月二三日。
(20)『朝日新聞』二〇〇七年九月一三日。
(21)『ドキュメント平成政治史3』七九～八〇頁。
(22)『ドキュメント平成政治史3』八二～九〇頁。
(23)『ドキュメント平成政治史3』八六頁。

(24)『毎日新聞』二〇〇七年九月二〇日。
(25)小沢一郎「今こそ国際安全保障の原則確立を」『世界』二〇〇七年一一月号。
(26)『日本経済新聞』二〇〇七年一〇月一一日、一〇月一六日。
(27)『真空国会』二一〇～二一九頁。
(28)『毎日新聞』二〇〇七年一二月一二日。『真空国会』二三〇～二三二頁。
(29)『日本経済新聞』二〇〇七年一一月八日。
(30)『読売新聞』二〇〇七年一一月四日。『毎日新聞』二〇〇七年一二月一二日。
(31)『真空国会』二三二～二三五頁。
(32)『日本経済新聞』二〇〇七年一一月二日。『朝日新聞』二〇〇七年一二月四日。
(33)『読売新聞』二〇〇七年一一月三日。
(34)『AERA』二〇〇七年一一月一九日号。
(35)『日本経済新聞』二〇〇七年一一月九日。
(36)御厨貴・牧原出編『野中広務回顧録』(岩波書店、二〇一二) 四七頁。
(37)『ドキュメント平成政治史3』一一四～一一五頁。
(38)『真空国会』三三二頁。
(39)『真空国会』三三二頁。
(40)『真空国会』三三三頁。
(41)『朝日新聞』二〇〇五年三月三一日。
(42)『日中関係史　1972－2012 I 政治』四六八～四六九頁。
(43)『日本経済新聞』二〇〇八年五月二三日。
(44)『日本経済新聞』二〇〇八年五月二三日。
(45)『ドキュメント平成政治史3』一七一～一七三頁。
(46)『朝日新聞』一九九八年一〇月一三日、二〇〇八年九月二三日。麻生太郎「強い日本を！」『文藝春秋』二〇〇八年一一月号。

(47)『外交の戦略と志』一四二～一四四頁。『日本経済新聞』二〇〇八年五月一六日。
(48)『毎日新聞』二〇〇七年三月一七日、一一月一五日。
(49)『日本経済新聞』二〇〇八年五月一六日。
(50)『日本経済新聞』二〇〇九年五月三日。
(51)『毎日新聞』二〇〇九年四月一七日。『朝日新聞』二〇〇九年四月二一日。
(52)『毎日新聞』二〇〇九年四月二一日。
(53)『外交の戦略と志』九一頁。
(54)『毎日新聞』二〇〇八年一二月一四日。
(55)『毎日新聞』二〇〇九年二月二五日。

第7章

(1) 毎日新聞政治部『琉球の星条旗』(講談社、二〇一〇) 八二～八三頁。
(2) 山口二郎・中北浩爾編『民主党政権とは何だったのか』(岩波書店、二〇一四) 一〇〇～一〇一頁。
(3)『毎日新聞』二〇〇九年一〇月一一日。『民主党政権とは何だったのか』一〇〇頁。
(4)『民主党政権とは何だったのか』九七頁。
(5)『琉球の星条旗』九二～九三頁。
(6)『民主党政権とは何だったのか』一〇九頁。『朝日新聞』二〇〇九年一〇月八日。『毎日新聞』二〇〇九年一〇月一一日。
(7)『日本経済新聞』二〇〇九年一〇月一〇日。
(8)『読売新聞』二〇〇三年一月二三日、二〇〇九年三月一〇日。
(9) 森田一著、服部龍二・昇亜美子・中島琢磨編『心の一燈――回想の大平正芳　その人と外交』(第一法規、二〇一〇) 二六一～二六二頁。
(10)『毎日新聞』二〇〇九年七月一七日、八月三一日。
(11)『琉球の星条旗』一〇九～一一一頁。

(12)『琉球の星条旗』一二五頁。
(13)『ドキュメント平成政治史3』二四八頁。
(14)『日本経済新聞』二〇〇九年一一月一五日、一一月一八日。
(15)『琉球の星条旗』一一四頁。
(16)『毎日新聞』二〇〇九年一一月二日。『琉球の星条旗』一〇四頁。
(17)『毎日新聞』二〇〇九年一一月二日。森本敏『普天間の謎』(海竜社、二〇一〇)一二二〜一二三頁。半田滋『ドキュメント防衛融解』(旬報社、二〇一〇)一〇八頁。
(18)『琉球の星条旗』八四〜八五頁。『毎日新聞』二〇〇九年一二月七日。
(19)ジェフリー・A・ベーダー『オバマと中国』(東京大学出版会、二〇一三)九四〜九五頁。岡田克也『外交をひらく』(岩波書店、二〇一四)一二三〜一四五頁。
(20)『琉球の星条旗』一五五頁。
(21)『琉球の星条旗』一五五頁。
(22)『日本経済新聞』二〇〇九年一二月二三日。
(23)渡辺豪『日本はなぜ米軍をもてなすのか』(旬報社、二〇一五)一〇〜一二頁。『沖縄タイムス』二〇一五年七月四日。
(24)『民主党政権とは何だったのか』一〇四頁。
(25)『朝日新聞』二〇一〇年五月五日、五月六日。
(26)『民主党政権とは何だったのか』一一九頁。
(27)『日本経済新聞』二〇〇九年一二月一〇日。『読売新聞』二〇〇九年一二月一〇日。
(28)『日本経済新聞』二〇〇九年一一月二七日。
(29)『毎日新聞』二〇一〇年一一月八日。
(30)春原剛『暗闘　尖閣国有化』(新潮社、二〇一三)一七頁。
(31)『朝日新聞』二〇一〇年九月二五日、九月二八日。『日本経済新聞』二〇一〇年九月二六日。『暗闘　尖閣国有化』三〇〜三三頁。

(32)『民主党政権とは何だったのか』二〇〇頁。『朝日新聞』二〇一〇年九月二八日。
(33)『朝日新聞』二〇一〇年九月二五日、九月二四日。
(34)『朝日新聞』二〇一〇年九月一六日。
(35)中曽根康弘「菅直人君に引導を渡す」『文藝春秋』二〇一一年七月号。
(36)リチャード・J・サミュエルズ『3・11 震災は日本を変えたのか』(英治出版、二〇一六)一三五〜一三六頁。
(37)『朝日新聞』二〇一一年五月一五日。『3・11 震災は日本を変えたのか』四一〜四二頁。
(38)『3・11 震災は日本を変えたのか』一九一〜一九二頁。
(39)『朝日新聞』二〇一〇年七月一七日、七月二〇日、八月五日、八月六日、八月七日、八月一〇日、八月一一日。『毎日新聞』二〇一〇年八月五日、八月一一日。
(40)『毎日新聞』二〇一〇年八月一一日。
(41)『毎日新聞』二〇一四年三月一一日。
(42)『朝日新聞』二〇一一年八月二七日。
(43)野田佳彦『民主の敵』(新潮新書、二〇〇九)一三三〜一三四、一五一〜一五四頁。
(44)『読売新聞』二〇一三年一〇月二六日。
(45)『読売新聞』二〇一三年一〇月二六日。
(46)藤村修『民主党を見つめ直す 元官房長官・藤村修回想録』(毎日新聞社、二〇一四)一一一頁。
(47)『朝日新聞』二〇一一年一〇月二〇日。
(48)『毎日新聞』二〇一一年一二月一九日。
(49)『朝日新聞』二〇一一年一二月一九日。『毎日新聞』二〇一一年一二月一九日。『読売新聞』二〇一一年一二月一九日。
(50)『日本経済新聞』二〇一一年一二月一九日。『読売新聞』二〇一一年一二月一九日。
(51)『朝日新聞』二〇一二年三月二日。『毎日新聞』二〇一二年八月一四日。
(52)小倉紀蔵・小針進編『日韓関係の争点』(藤原書店、二〇一四)三六〜三七頁。
(53)『朝日新聞』二〇一二年八月一一日。『毎日新聞』二〇一二年八月一四日。

(54)『読売新聞』二〇一二年八月一六日。
(55)『朝日新聞』二〇一二年八月一六日。
(56)『朝日新聞』二〇一三年一〇月八日。
(57)『読売新聞』二〇〇三年一月一日。『民主党を見つめ直す』一四八〜一四九頁。『暗闘　尖閣国有化』八五頁。
(58)『毎日新聞』二〇一二年七月八日。
(59)『朝日新聞』二〇一二年九月二六日。
(60)『暗闘　尖閣国有化』一三〇〜一三一頁。
(61)長島昭久『「活米」という流儀——外交・安全保障のリアリズム』(講談社、二〇一三)七〜八頁。
(62)『民主党を見つめ直す』一五三頁。
(63)『朝日新聞』二〇一二年九月二六日。
(64)『暗闘　尖閣国有化』一九五頁。
(65)『読売新聞』二〇一三年一〇月二八日。
(66)『朝日新聞』二〇一二年九月二六日。『毎日新聞』二〇一二年九月二八日。
(67)『朝日新聞』二〇一二年九月二六日。峯村健司『十三億分の一の男』(小学館、二〇一五)一四四〜一四五頁。
(68)『十三億分の一の男』一三七〜一四五頁。
(69)『朝日新聞』二〇一四年一月一四日。
(70)『日本経済新聞』二〇一三年七月一六日。
(71)『暗闘　尖閣国有化』二二八頁。
(72)『朝日新聞』二〇一二年一一月一〇日。

終章

(1)『毎日新聞』二〇一六年七月一二日。
(2)『毎日新聞』二〇一三年二月二六日。
(3)『朝日新聞』二〇一三年一二月二七日。

(4)『朝日新聞』二〇一四年一月二八日。『毎日新聞』二〇一三年一二月三〇日。『読売新聞』二〇一四年一月一三日。
(5)『毎日新聞』二〇一三年一二月二七日。
(6)『朝日新聞』二〇一三年一二月二七日、二〇一四年一月二八日。
(7)『普天間・辺野古　歪められた二〇年』一八一～一八三頁。
(8)翁長雄志『戦う民意』(角川書店、二〇一五)六頁。
(9)朝日新聞政治部取材班『安倍政権の裏の顔』(講談社、二〇一五)五六～五八頁。
(10)常井健一『小泉純一郎独白』(文藝春秋、二〇一六)六五～六六頁。
(11)『安倍政権の裏の顔』二一五頁。
(12)『毎日新聞』二〇一六年八月九日。
(13)宮城大蔵「「中道保守」と外交安全保障」日本再建イニシアティブ『「戦後保守」は終わったのか』(角川新書、二〇一五年)。
(14)『朝日新聞』二〇一四年一月二五日、五月八日。
(15)北岡伸一『日本政治史——外交と権力』(有斐閣、二〇一一)iv頁。

	11月	沖縄県知事選で現職の仲井眞が翁長雄志に大敗。
2015	8月	戦後70年談話を発表。
	9月	安保関連法が成立。
2016	5月	オバマ大統領が広島訪問。

2005	4月	中国で反日デモ相次ぐ。
2006	6月	陸上自衛隊がイラクから撤収開始。7月に撤収完了。
	9月	**安倍晋三政権発足。**
	10月	安倍首相が中国、韓国を訪問。
2007	9月	**福田康夫政権発足。**
	10月	福田・小沢会談により大連立構想が浮上。11月に頓挫。
	12月	福田首相が訪中。破格の待遇を受ける。
2008	1月	新テロ特措法が成立。
	5月	胡錦濤中国国家主席が来日。
	6月	東シナ海のガス田について中国と合意。
	9月	**麻生太郎政権発足。**
		リーマン・ブラザーズが経営破綻。国際的金融危機のリーマン・ショックへ。
	12月	麻生首相、温家宝首相、李明博韓国大統領による日中韓首脳会議。
2009	9月	民主、社民、国民新党連立で**鳩山由紀夫政権発足。**
		国連気候変動サミットで、鳩山首相が温室効果ガス25%削減を目指すと表明。
	11月	オバマ大統領来日。
2010	3月	核密約についての報告書提出。
	5月	鳩山首相が沖縄の辺野古基地の県外移設を断念。社民党が連立離脱。
	6月	**菅直人政権発足。**
	8月	日韓併合100年談話を発表。
	9月	尖閣諸島沖で中国漁船が海上保安庁巡視船に衝突。
		菅首相、TPP参加検討を打ち出す。
2011	3月	東日本大震災が発生。
	9月	**野田佳彦政権発足。**
	12月	李明博大統領が来日。慰安婦問題で野田首相と激論に。
2012	8月	李明博大統領が竹島上陸。
	9月	尖閣諸島国有化を決定。
	12月	**第二次安倍晋三政権発足。**
2013	11月	中国が東シナ海に防空識別圏を設定。
	12月	特定秘密保護法が成立。
		安倍首相が靖国神社参拝。
2014	3月	安倍首相、オバマ大統領を交え、朴槿恵韓国大統領と初会談。
	7月	集団的自衛権の限定的行使を認める憲法解釈の変更を閣議決定。

	2月	橋本首相が訪米。クリントンとの首脳会談で普天間基地返還に言及。
	3月	台湾初の直接総統選挙（その前に台湾海峡危機高まる）。
	4月	普天間基地返還合意を発表。
		クリントン米大統領が来日。「日米安保再定義」を発表。
1997	4月	駐留軍用地特措法改正。
	7月	タイや韓国で通貨暴落。アジア通貨危機が始まる。
	11月	橋本首相が訪露。エリツィン大統領とクラスノヤルスク合意。
	12月	沖縄県名護市で海上施設受け入れをめぐる市民投票。反対多数。
1998	4月	エリツィン露大統領が来日。川奈会談。
	7月	小渕恵三政権発足。
	8月	北朝鮮が弾道ミサイル・テポドン発射。
	10月	金大中韓国大統領が来日。日韓共同宣言。
	11月	江沢民中国国家主席が来日。歴史問題を取りあげる。
	12月	ASEAN首脳会議に日中韓首脳も出席。
1999	1月	自民党と自由党の連立が発足（自自）。
	3月	日本海側の日本領海で不審船発見。自衛隊が初の海上警備行動。
	4月	2000年のサミット開催地を沖縄に決定。
	5月	ガイドライン関連法案が、自自公の枠組みで成立。
2000	4月	森喜朗政権発足。
	6月	金大中韓国大統領と金正日北朝鮮労働党総書記が初の南北首脳会談。
	7月	沖縄サミット。
2001	4月	小泉純一郎政権発足。
	9月	アメリカで同時多発テロ発生。
	10月	アメリカがアフガニスタンを攻撃。
	11月	テロ対策特措法に基づき、海上自衛隊の艦船をインド洋へ派遣。
2002	9月	小泉首相が北朝鮮訪問。金正日総書記が拉致を認め、謝罪。日朝平壌宣言に署名。
2003	3月	アメリカを中心とする多国籍軍がイラクへの攻撃を開始。
	6月	有事法制関連法が成立。
	7月	イラク特措法が成立。
2004	5月	小泉再訪朝。拉致被害者の家族と帰国。
	8月	沖縄国際大学に米軍ヘリが墜落。
	12月	スマトラ島沖地震。津波を中心に23万人の犠牲者。

現代日本外交史 関連年表

年	出来事
1989	1月　昭和天皇崩御。昭和から平成へ改元。
	6月　宇野宗佑政権発足。
	中国で天安門事件。
	8月　海部俊樹政権発足。
	11月　第1回APEC（アジア太平洋経済協力会議）開催。
	ベルリンの壁が崩壊。
	12月　東京証券取引所の平均株価が史上最高値（3万8915円）。
	米ソ首脳によるマルタ会談で「冷戦終結宣言」。
1990	8月　イラクがクウェートに侵攻。
	9月　金丸訪朝団が北朝鮮の金日成主席と会談。
1991	1月　湾岸戦争勃発。
	11月　宮沢喜一政権発足。
	12月　ソ連が解体、消滅。
1992	6月　PKO法が成立。
	9月　自衛隊をカンボジアPKOに派遣。
	10月　天皇訪中。
1993	3月　北朝鮮がNPT（核拡散防止条約）から脱退を宣言。
	5月　北朝鮮が日本海に向けてノドン1号を発射。
	8月　非自民連立による細川護煕政権発足。
	10月　エリツィン露大統領が来日。
1994	2月　細川首相が訪米。クリントン米大統領と会談も、貿易摩擦における「数値目標」導入をめぐって決裂。
	4月　羽田孜政権発足。
	6月　自社さ連立による村山富市政権発足。
	7月　村山首相が所信表明演説で「日米安保堅持」「自衛隊合憲」を表明。
1995	1月　阪神・淡路大震災が発生。
	6月　戦後50年の国会決議。
	8月　「村山談話」発表。
	9月　沖縄少女暴行事件が発生。
	12月　政府が大田昌秀沖縄県知事を代理署名拒否で提訴。
1996	1月　橋本龍太郎政権発足。

写真提供・読売新聞社

宮城大蔵（みやぎ・たいぞう）

1968年東京都生まれ．立教大学法学部卒業後，NHK記者を経て一橋大学大学院法学研究科博士課程修了．博士（法学）．北海道大学大学院法学研究科専任講師，政策研究大学院大学助教授などを経て，現在，上智大学大学院グローバルスタディーズ研究科教授．

著書『バンドン会議と日本のアジア復帰』（草思社，2001年）
『戦後アジア秩序の模索と日本』（創文社，2004年，サントリー学芸賞，中曽根康弘賞奨励賞）
『「海洋国家」日本の戦後史』（ちくま新書，2008年）
『橋本龍太郎外交回顧録』（共編，岩波書店，2013年）
『戦後アジアの形成と日本』（編著，中央公論新社，2014年）
『戦後日本のアジア外交』（編著，ミネルヴァ書房，2015年）
『普天間・辺野古　歪められた二〇年』（共著，集英社新書，2016年）
など．

現《げん》代《だい》日《に》本《ほん》外《がい》交《こう》史《し》
中公新書 *2402*

2016年10月25日発行

著　者　宮城大蔵
発行者　大橋善光

本文印刷　三晃印刷
カバー印刷　大熊整美堂
製　　本　小泉製本

発行所　中央公論新社
〒100-8152
東京都千代田区大手町 1-7-1
電話　販売 03-5299-1730
　　　編集 03-5299-1830
URL http://www.chuko.co.jp/

Published by CHUOKORON-SHINSHA, INC.
Printed in Japan　ISBN978-4-12-102402-2 C1231

中公新書

中公新書刊行のことば

いまからちょうど五世紀まえ、グーテンベルクが近代印刷術を発明したとき、書物の大量生産は潜在的可能性を獲得し、いまからちょうど一世紀まえ、世界のおもな文明国で義務教育制度が採用されたとき、書物の大量需要の潜在性が形成された。この二つの潜在性がはげしく現実化したのが現代である。

いまや、書物によって視野を拡大し、変りゆく世界に豊かに対応しようとする強い要求を私たちは抑えることができない。この要求にこたえる義務を、今日の書物は背負っている。だが、その義務は、たんに専門的知識の通俗化をはかることによって果たされるものでもなく、通俗的好奇心にうったえて、いたずらに発行部数の巨大さを誇ることによって果たされるものでもない。現代を真摯に生きようとする読者に、真に知るに価いする知識だけを選びだして提供すること、これが中公新書の最大の目標である。

私たちは、知識として錯覚しているものによってしばしば動かされ、裏切られる。私たちは、作為によってあたえられた知識のうえに生きることがあまりに多く、ゆるぎない事実を通して思索することがあまりにすくない。中公新書が、その一貫した特色として自らに課すものは、この事実のみの持つ無条件の説得力を発揮させることである。現代にあらたな意味を投げかけるべく待機している過去の歴史的事実もまた、中公新書によって数多く発掘されるであろう。

中公新書は、現代を自らの眼で見つめようとする、逞しい知的な読者の活力となることを欲している。

一九六二年一一月

中公新書

政治・法律

h2

108 国際政治　高坂正堯
1686 国際政治とは何か　中西　寛
2190 国際秩序　細谷雄一
2114 世界の運命　ポール・ケネディ　山口瑞彦訳
1899 国連の政治力学　北岡伸一
2207 平和主義とは何か　松元雅和
2195 入門 人間の安全保障　長　有紀枝
2394 難民問題　墓田　桂
2133 文化と外交　渡辺　靖
113 日本の外交　入江　昭
1000 新・日本の外交　入江　昭
2366 入門 国境学　岩下明裕
1825 北方領土問題　岩下明裕
2068 ロシアの論理　武田善憲
1751 拡大ヨーロッパの挑戦（増補版）　羽場久美子
2172 中国は東アジアをどう変えるか　白石　隆　ハウ・カロライン
2215 戦略論の名著　野中郁次郎編著
700 戦略的思考とは何か　岡崎久彦
721 地政学入門　曽村保信
1272 アメリカ海兵隊　野中郁次郎
2402 現代日本外交史　宮城大蔵
2405 欧州複合危機　遠藤　乾